101 + 19 = 120
POEMAS

ÁNGEL GONZÁLEZ

101 + 19 = 120
POEMAS

Selección de Ángel González
Prólogo de Luis García Montero

VISOR LIBROS

VOLUMEN CDXXXV DE LA COLECCIÓN VISOR DE POESÍA

1ª edición, Mayo de 2000
2ª edición, Febrero de 2001

Cubierta: Toulouse-Lautrec «*Yvette Guilbert*».

© Ángel González

© VISOR LIBROS
Isaac Peral, 18 - 28015 Madrid

ISBN: 84-7522-435-0
Depósito Legal: M. 17.517-2001

Impreso en España - *Printed in Spain*
Gráficas Muriel. C/ Buigas, s/n. Getafe (Madrid)

IMPRESIÓN DE ÁNGEL GONZÁLEZ

Ángel González es uno de los poetas más representativos del grupo literario del 50. En sus poemas pueden encontrarse las características más destacadas generalmente por la crítica: verso de experiencia, vocabulario riguroso encuadrado en un tono de conversación, interés moral en el personaje protagonista de los poemas y toma de conciencia estética de una geografía urbana, sin duda el telón de fondo imprescindible para las situaciones y los sentimientos elaborados en los poemas. Así se perfila una atmósfera común, de preocupaciones compartidas, que sirve de alimento y soporte para las diversas tareas propias, para el desarrollo peculiarizado de cada uno de los poetas en sus personales operaciones de escritura.

El lector de Ángel González penetra al abrir sus libros en un mundo coherente, singularizado, en el que se respira una luz, una manera de observar las cosas, vivirlas y contarlas. Varios elementos reincidentes aseguran el diseño acoplado de este territorio personal. Como lector de Ángel González he apreciado siempre un comportamiento en sus poemas, una disciplina apoyada en las posibilidades de cinco características concretas: el protagonismo de un personaje moral cómplice y tierno, la libertad imaginativa, el uso multiforme de la ironía, la preocupación por la entidad y las situaciones históricas de la poesía y un sedimento de paciente vitalismo que, por debajo de la desolación, acaba valorando el tiempo y la literatura en su curso más positivo.

Explico ahora cómo entiendo la función de cada una de estas características en la poesía de Ángel González. En primer lugar, *el protagonismo de un personaje moral cómplice y tierno*. En la edición de 1977 de *Palabra sobre palabra*, el poeta se presenta de esta forma: «larga y prematuramente adiestrado en el ejercicio de la paciencia y en la cuidadosa restauración de ilusiones sistemáticamente pisoteadas, me acostumbré muy pronto a quejarme en voz baja, a maldecir para mis adentros, y a hablar ambiguamente, poco y siempre de otras cosas; es decir, al uso de la ironía, de la metáfora, de la metonimia y de la reticencia». *Áspero mundo* (1956), su primer libro, está escrito con expresiones de desolación, con un hastío muy cercano a la cultura existencialista de la pesada lentitud del tiempo. Es una angustia que se vive en primera persona, que marca las costumbres, los horarios, la intimidad, alegrada sólo y temblorosamente por el amor. Pero se trata de una intimidad situada, surgida en un lugar preciso. Por ejemplo:

> Aquí, Madrid, mil novecientos
> cincuenta y cuatro: un hombre solo.

Es el sentimiento personal de la soledad lo que se nombra, pero no en abstracto. El poema expone el modo de vivir la soledad en un año y una ciudad concreta, en unas costumbres dibujadas. La poesía puede situarse precisamente en el punto de cruce y conexión que hay entre la experiencia del autor y la del resto de los ciudadanos que viven la misma historia. El protagonista poético se modela como respuesta a la historia observada y nace como lugar de condensación, como escena de encuentro de unas reacciones ante el mundo, que son personales, pero que necesariamente confluyen con las reacciones de los demás. Los versos se apoyan en la mirada de este personaje, en la forma de describir y sentir, en las consideraciones de una soledad compartida, que por ser soledad íntima no admite grandilocuencia en los tonos y por ser compartida no cae en el aislamiento temático o en la superficialidad esteticista. El poema busca o construye un lector cómplice, situado en el lugar preciso para entender. Digamos de paso que esta posición, en la que intimidad e historia se funden sin las fronteras cortantes que suelen establecerse entre los aspectos privados y públicos, enriquece los posibles cauces de la llamada poesía social, dirigiéndola hacia una voz de análisis crítico, una reflexión sobre los hábitos colectivos y la propia educación sentimental. Este enriquecimiento puede comprobarse en los poemas sociales de Gil de Biedma, Barral, Caballero Bonald y, por supuesto, en los de Ángel González, sobre todo en los pertenecientes a *Sin esperanza, con convencimiento* (1961), *Grado elemental* (1962) y *Tratado de urbanismo* (1967).

Los ojos de este personaje moral, que consolida la justificación del poema en sus meditadas reacciones ante el mundo, tienen uno de sus mejores recursos en *la libertad imaginativa*, la libertad de ver, intuir y exponer las cosas, libertad literaria de exposición y argumentación según los estados de ánimo. La palabra del personaje juega así y trastoca los reglamentos de la lógica y el tiempo, aunque dentro siempre del tono realista de la experiencia confesada. Esta mezcla de realismo y libertad imaginativa produce una especial tensión poética, una caracterizadora festividad de la palabra o de los ojos, conscientes de que pueden trastocar los espesos valores establecidos en la rutina. Cambian matizadamente las frases hechas, se desplaza el significado de una palabra, se juega con la entidad rutinaria de las cosas y los casos. En Ángel González, por ejemplo, el uso de los horarios y el tiempo se ve alterado por una lógica interna distinta a las normas. Es un recurso frecuente en su poesía. Cito los conocidos versos iniciales del poema «Ayer», poema de *Sin esperanza, con convencimiento:*

> Ayer fue miércoles toda la mañana.
> Por la tarde cambió:
> se puso casi lunes...

Saltando por los libros y los años, el primer poema de *Prosemas o menos* (1985) se titula «No tuvo ayer su día» y comienza:

> Ya desde muy temprano,
> ayer fue tarde.

Este tratamiento de las horas y los calendarios es una simple muestra de libertad imaginativa y mutante, muy caracterizadora en la poesía de Ángel González. Sin duda hay en estas alteraciones de la lógica una lectura pronta de las vanguardias y, según entiendo, algunas semejanzas con el tono y el desarrollo de las imágenes en la poesía de Salinas. En *La voz a ti debida* el amor trastoca la realidad y toda lógica se somete a la irrupción general de los sentimientos, que convierten al mundo en un escenario de sorpresas. La poesía de Ángel González gusta también de esta libertad, pero no se trata sólo del poder amoroso, sino de la reacción viva del personaje, de su capacidad moral para ejercer la mirada y diseñar una atmósfera. De hecho los días tienen su significado en el poema, igual que los meses, cargando de sentido los cambios en la rutina de los ordenamientos. Así surge también el poema «Domingo» de *Sin esperanza*:

No hay nadie que no sepa
que es domingo,
domingo.
　　Tu presencia
de espuma lava,
eleva,
hace flotar las cosas y los seres
en un nítido cielo que no era
—el lunes— de verdad:
apenas
desteñido papel, vidrio olvidado,
polvo tedioso sobre las aceras.

Esta dislocación imaginativa participa del uso generaliza-do de la *ironía* que hay en los poemas de Ángel González. Son muchos los recursos irónicos que pone en práctica: pa-rodia de tonos como en el «Discurso a los jóvenes» de *Sin es-peranza;* tratamiento satírico de las costumbres como en los poemas de «Fábulas para animales» de *Grado elemental* o «Lecciones de buen amor» de *Tratado de urbanismo;* conti-nua utilización de paréntesis incisivos, que acompañan al ar-gumento del texto precisando o invirtiendo su desarrollo; juegos de palabras, ocurrencias, chistes, sobre todo a partir de *Breves acotaciones para una biografía* (1969). En su libro sobre *Ángel González* (Júcar, Gijón, 1989), Andrew P. De-bicki explica la ironía del poeta como una consecuencia postmoderna de la falta de seguridad en las creencias y, al mismo tiempo, como una barrera ante el dogmatismo de los poetas sociales. Creo que conviene matizar esta tesis: prime-ro porque la ironía es recurso frecuente en la lírica europea desde el romanticismo; segundo porque no siempre hay que confundir a los poetas sociales con el dogmatismo empobre-cedor; y tercero porque Ángel González empieza a utilizar la ironía precisamente en su momento de más activa y convencida dedicación política, para desacreditar ideas y comportamientos hostiles. Me parece que debe tenerse en cuenta que los poemas de Ángel González tienden desde el principio al conocimiento, al análisis de la experiencia personal de la historia, por lo que la distancia objetiva que ofrece la ironía es un punto de vista muy aprovechable, una perspectiva de colocación y distanciamiento. Como, además, el personaje moral de sus poemas establece relaciones de complicidad con el lector, los guiños irónicos son un lazo inevitable, una llamada de atención articuladora y necesaria en los poemas.

Otra de las características de su obra es *la preocupación por la entidad y las situaciones de la poesía*. Hago esta distinción entre entidad y situaciones porque Ángel González no sólo escribe sobre el género poético en abstracto, qué es o debe ser la poesía, sino también sobre los debates de actualidad poética, defendiendo sus posiciones o criticando algunas modas literarias. Reflexiones sobre la poesía y sus mecanismos podemos encontrar en «Las palabras inútiles» de *Palabra sobre palabra* (1965), en «A veces» de *Breves acotaciones* o en los poemas incluidos en el capítulo «Metapoesía» de *Muestra, corregida y aumentada, de algunos procedimientos narrativos y de las actitudes sentimentales que habitualmente comportan* (1976). Sirva de ejemplo esta «Poética a la que intento a veces aplicarme»:

> Escribir un poema: marcar la piel del agua.
> Suavemente, los signos
> se deforman, se agrandan,
> expresan lo que quieren
> la brisa, el sol, las nubes,
> se distienden, se tensan, hasta

que el hombre que los mira
—adormecido el viento,
la luz alta—
o ve su propio rostro
o —transparencia pura, hondo
fracaso— no ve nada.

Alusiones directas y tomas de postura ante la realidad poética española podemos encontrarlas en el primer poema de *Sin esperanza*, «Otro tiempo vendrá distinto a este», o en la «Oda a los nuevos bardos» de *Muestra, corregida y aumentada*. Tanto en sus afirmaciones como en sus ataques (y tal vez sería mejor decir contraataques, ya que el poema anteriormente citado se refiere a los novísimos), Ángel González defiende unas ideas poéticas coherentes con sus concepciones y su escritura, con las características que estamos señalando.

Finalmente, me gustaría destacar un aspecto muy poco observado en sus libros: *el sedimento de paciente vitalismo* que hay en los poemas. Se trata de una valoración constructiva del mundo, un sistemático vitalismo operativo de la naturaleza, de los seres humanos, de la literatura, de la realidad que avanza, aunque sea lentamente, por debajo de la decepción y las ilusiones pisoteadas, convirtiendo a la existencia en un fluir positivo, en un camino no marcado, pero siempre abierto hacia delante. Aunque no sea en línea recta, ni suceda según lo esperado, el tiempo tiene pulso constructivo, avanza matiz a matiz. *Áspero mundo* empieza con estos versos:

Para que yo me llame Ángel González,
para que mi ser pese sobre el suelo,
fue necesario un ancho espacio
y un largo tiempo:

> hombres de todo mar y toda tierra,
> fértiles vientres de mujer, y cuerpos
> y más cuerpos, fundiéndose incesantes
> en otro cuerpo nuevo.

Sin esperanza, con convencimiento se inicia con esta afirmación: «Otro tiempo vendrá distinto a este». *Grado elemental* se abre con «Lecciones de cosas», un poema claramente constructivo, de esfuerzos encadenados, en el que se habla del hombre como:

> inesperado huésped de los bosques,
> usurpador del reino de las fieras
> y de los ciegos, tercos vegetales,
> fiera insaciable él mismo
> que consiguió matar cuanto negaba
> su deseo,
> que supo rescatar de los incendios
> el calor y la luz,
> y oponer a los vientos las extensas
> y blancas velas de las naves,
> y detener o derramar las aguas
> sobre la tierra exhausta y arañada,
> mordida, rota, transformada, dócil
> como un cuerpo vencido o disfrutado.

Es un itinerario ambiguo, porque en la libertad del proceso se pueden hacer buenas o malas construcciones, puede haber fractura o transformación, victoria o disfrute. Y derrotas. Pero a pesar de la ambigüedad y de la desolación de los presentes sucesivos, es este carácter constructivo del tiempo el único que asegura el progreso, aunque sea responsabilizando a sus protagonistas, abandonándolos a su propio albedrío. El primer poema de *Palabra sobre palabra*, titulado «La palabra», toma conciencia de una historia empezada «Hace mil años», la historia de la palabra «amor»:

> Pronunciada primero,
> luego escrita,
> la palabra pasó de boca en boca,
> siguió de mano en mano,
> de cera en pergamino,
> de papel en papel,
> de tinta en tinta...

Al final de esta cadena el personaje aparece con una conclusión evidente: «Yo la recojo...» Los poemas iniciales, y no creo que por casualidad, de los cuatro primeros libros de Ángel González tienen esta visión constructiva, alimenticia, del mundo, que sirve de telón de fondo y horizonte para la posición moral de su protagonista poético. El convencimiento de participar en un caminado progreso general justifica el vitalismo latente, incluso cuando no se ven claras las esperanzas individuales y concretas. Añadamos también, porque me parece que tiene relación con lo que estamos viendo, que en 1968 Ángel González escogió como título general de la primera recopilación de su obra un lema constructivo: *Palabra sobre palabra* (Seix Barral, Barcelona, 1968), lema que ya había servido en 1965 para titular una colección de cinco poemas.

Estas me parecen las características más llamativas en la poesía de Ángel González, las que dan una atmósfera de unidad a las diversas posibilidades de su desarrollo. En el prólogo a la antología *Poemas* (Cátedra, Madrid, 1980), el mismo poeta señala una primera etapa hasta *Tratado de urbanismo* y una segunda a partir de *Breves acotaciones para*

15

una biografía, momento de creación en el que sufre una crisis de fe poética. Refiriéndose a esta segunda etapa, escribe: «En esos títulos, la tendencia al juego y a derivar la ironía hacia un humor que no rehuye el chiste, la frivolización de algunos motivos y el gusto por lo paródico, apuntan hacia una especie de *antipoesía,* en cuyas raíces creo que está cierto rencor frente a las *palabras inútiles*» (p. 22). Es verdad; una nueva situación histórica hace que el personaje poético de los primeros libros de Ángel González se debilite, dude, pierda sus articulaciones con el lector y con su propio autor, en un panorama marcado llanamente por la perennidad del franquismo y por la dificultad de trazar una idea clara del futuro esperable, a causa, entre otros motivos, de diferencias serias con el comportamiento de los partidos comunistas europeos. Literariamente la crisis se concreta en una pérdida transitoria de fe en las palabras, el protagonista que habla se queda sin apoyatura consistente y el sentido de los poemas se diluye en el propio texto, en los procedimientos narrativos, en los juegos de vocabulario, en la ironía. Normalmente estas pérdidas de fe utilitaria se saldan en literatura con apuestas por el esteticismo radical y el culturalismo, maneras de buscar una razón para el orgullo en la realidad problemática del aislamiento. Pero esta posibilidad queda fuera del mundo poético de Ángel González, que prefiere enfrentarse con el vacío cara a cara y comenzar una tarea de desacralización, cimentada en el humor, la sátira, las parodias y la antipoesía.

Pero se trata de un proceso controlado e intermedio. Porque si es verdad que hay crisis y alteraciones, también es cierto que el mundo que deja es siempre el mundo del que procede. Los cambios en poesía suelen ser más distintas etapas de un mismo itinerario que rupturas tajantes y el poeta que entra en crisis construye con los escombros de su antigua casa su nueva residencia lingüística. Todos los recursos de la segunda época de Ángel González se intuyen en la primera. Por eso puede hablarse también de una atmósfera unitaria, de un mundo personalizado.

Ángel González se busca a sí mismo al escribir, pero por su concepción histórica de la intimidad al hablar de sí mismo habla de los demás. Escribe, según anota en el prólogo a *Poemas*, en ese punto de interferencia «donde se funden otra vez la Historia y mi historia» (p. 20). A su opción poética le ocurre lo mismo que a aquel río de *Prosemas o menos* que avanzaba de espaldas. Siempre hacia delante, en avanzada, pero con los ojos muy abiertos, acariciándolo todo, grabándolo todo en la memoria, preocupado por una razón más cierta que las actualidades o las modas, lleno de canciones, nostalgias y deseos, de sueños útiles y poemas hermosos. Los mismos hermosos poemas que él procura para poner la vida por escrito, año tras año, palabra sobre palabra:

> No ignoraba al mar ácido, tan próximo
> que ya en el viento su rumor se oía.
> Sin embargo,
> continuaba avanzando de espaldas aquel río,
> y se ensanchaba
> para tocar las cosas que veía:
> los juncos últimos,
> la sed de los rebaños,
> las blancas piedras por su afán pulidas.
> Si no podía alcanzarlo,
> lo acariciaba todo con sus ojos de agua.
> ¡Y con qué amor lo hacía!

LUIS GARCÍA MONTERO

ÁSPERO MUNDO

(1956)

Para que yo me llame Ángel González,
para que mi ser pese sobre el suelo,
fue necesario un ancho espacio
y un largo tiempo:
hombres de todo mar y toda tierra,
fértiles vientres de mujer, y cuerpos
y más cuerpos, fundiéndose incesantes
en otro cuerpo nuevo.
Solsticios y equinoccios alumbraron
con su cambiante luz, su vario cielo,
el viaje milenario de mi carne
trepando por los siglos y los huesos.
De su pasaje lento y doloroso
de su huida hasta el fin, sobreviviendo
naufragios, aferrándose
al último suspiro de los muertos,
yo no soy más que el resultado, el fruto,
lo que queda, podrido, entre los restos;
esto que veis aquí,
tan sólo esto:
un escombro tenaz, que se resiste
a su ruina, que lucha contra el viento,
que avanza por caminos que no llevan
a ningún sitio. El éxito
de todos los fracasos. La enloquecida
fuerza del desaliento...

Aquí, Madrid, mil novecientos
cincuenta y cuatro: un hombre solo.

Un hombre lleno de febrero,
ávido de domingos luminosos,
caminando hacia marzo paso a paso,
hacia el marzo del viento y de los rojos
horizontes —y la reciente primavera
ya en la frontera del abril lluvioso...—

Aquí, Madrid, entre tranvías
y reflejos, un hombre: un hombre solo.

—Más tarde vendrá mayo y luego junio,
y después julio y, al final, agosto—.

Un hombre con un año para nada
delante de su hastío para todo.

CUMPLEAÑOS

Yo lo noto: cómo me voy volviendo
menos cierto, confuso,
disolviéndome en aire
cotidiano, burdo
jirón de mí, deshilachado
y roto por los puños.

Yo comprendo: he vivido
un año más, y eso es muy duro.
¡Mover el corazón todos los días
casi cien veces por minuto!

Para vivir un año es necesario
morirse muchas veces mucho.

MUERTE EN EL OLVIDO

Yo sé que existo
porque tú me imaginas.
Soy alto porque tú me crees
alto, y limpio porque tú me miras
con buenos ojos,
con mirada limpia.
Tu pensamiento me hace
inteligente, y en tu sencilla
ternura, yo soy también sencillo
y bondadoso.
              Pero si tú me olvidas
quedaré muerto sin que nadie
lo sepa. Verán viva
mi carne, pero será otro hombre
—oscuro, torpe, malo— el que la habita...

FINAL

Entre el amor y la sombra
me debato: último yo.

Prendido de un débil sí,
sobre el abismo de un no,
me debato: último
amor.

Tira de mis pies la sombra.
Sangran mis manos, mis dos
manos asidas al frío
aire: último dolor.

Éste es mi cuerpo de ayer
sobreviviendo de hoy.

Me he quedado sin pulso y sin aliento
separado de ti. Cuando respiro,
el aire se me vuelve en un suspiro
y en polvo el corazón, de desaliento.

No es que sienta tu ausencia el sentimiento.
Es que la siente el cuerpo. No te miro.
No te puedo tocar por más que estiro
los brazos como un ciego contra el viento.

Todo estaba detrás de tu figura.
Ausente tú, detrás todo de nada,
borroso yermo en el que desespero.

Ya no tiene paisaje mi amargura.
Prendida de tu ausencia mi mirada,
contra todo me doy, ciego me hiero.

Alga quisiera ser, alga enredada,
en lo más suave de tu pantorrilla.
Soplo de brisa contra tu mejilla.
Arena leve bajo tu pisada.

Agua quisiera ser, agua salada
cuando corres desnuda hacia la orilla.
Sol recortando en sombra tu sencilla
silueta virgen de recién bañada.

Todo quisiera ser, indefinido,
en torno a ti: paisaje, luz, ambiente,
gaviota, cielo, nave, vela, viento...

Caracola que acercas a tu oído,
para poder reunir, tímidamente,
con el rumor del mar, mi sentimiento.

Por aquí pasa un río.
Por aquí tus pisadas
fueron embelleciendo las arenas,
aclarando las aguas,
puliendo los guijarros, perdonando
a las embelesadas
azucenas...

        No vas tú por el río:
es el río el que anda
detrás de ti, buscando en ti
el reflejo, mirándose en tu espalda.

Si vas de prisa, el río se apresura.
Si vas despacio, el agua se remansa.

Son las gaviotas, amor.
Las lentas, altas gaviotas.

Mar de invierno. El agua gris
mancha de frío las rocas.
Tus piernas, tus dulces piernas,
enternecen a las olas.
Un cielo sucio se vuelca
sobre el mar. El viento borra
el perfil de las colinas
de arena. Las tediosas
charcas de sal y de frío
copian tu luz y tu sombra.
Algo gritan, en lo alto,
que tú no escuchas, absorta.

Son las gaviotas, amor.
Las lentas, altas gaviotas.

SIN ESPERANZA,
CON CONVENCIMIENTO

(1961)

EL DERROTADO

Atrás quedaron los escombros:
humeantes pedazos de tu casa,
veranos incendiados, sangre seca
sobre la que se ceba —último buitre—
el viento.

Tú emprendes viaje hacia adelante, hacia
el tiempo bien llamado porvenir.
Porque ninguna tierra
posees,
porque ninguna patria
es ni será jamás la tuya,
porque en ningún país
puede arraigar tu corazón deshabitado.

Nunca —y es tan sencillo—
podrás abrir una cancela
y decir, nada más: «buen día,
madre».
Aunque efectivamente el día sea bueno,
haya trigo en las eras
y los árboles
extiendan hacia ti sus fatigadas
ramas, ofreciéndote
frutos o sombra para que descanses.

EL CAMPO DE BATALLA

Hoy voy a describir el campo
de batalla
tal como yo lo vi, una vez decidida
la suerte de los hombres que lucharon
muchos hasta morir,
otros
hasta seguir viviendo todavía.

No hubo elección:
murió quien pudo,
quien no pudo morir continuó andando,
los árboles nevaban lentos frutos,
era verano, invierno, todo un año
o más quizá: era la vida
entera
aquel enorme día de combate.

Por el oeste el viento traía sangre,
por el este la tierra era ceniza,
el norte entero estaba
bloqueado
por alambradas secas y por gritos,
y únicamente el sur,
tan sólo
el sur,
se ofrecía ancho y libre a nuestros ojos.

Pero el sur no existía:
ni agua, ni luz, ni sombra, ni ceniza
llenaban su oquedad, su hondo vacío:
el sur era un enorme precipicio,
un abismo sin fin de donde,
lentos,
los poderosos buitres ascendían.

Nadie escuchó la voz del capitán
porque tampoco el capitán hablaba.
Nadie enterró a los muertos.
Nadie dijo:
«dale a mi novia esto si la encuentras
un día».

Tan sólo alguien remató a un caballo
que, con el vientre abierto,
agonizante,
llenaba con su espanto el aire en sombra:
el aire que la noche amenazaba.

Quietos, pegados a la dura
tierra,
cogidos entre el pánico y la nada,
los hombres esperaban el momento
último,
sin oponerse ya,
sin rebeldía.

Algunos se murieron,
como dije,
y los demás, tendidos, derribados,
pegados a la tierra en paz al fin,

esperan
ya no sé qué
—quizá que alguien les diga:
«amigos, podéis iros, el combate…»

Entre tanto,
es verano otra vez,
y crece el trigo
en el que fue ancho campo de batalla.

Esperanza,
araña negra del atardecer.
Te paras
no lejos de mi cuerpo
abandonado, andas
en torno a mí,
tejiendo, rápida,
inconsistentes hilos invisibles,
te acercas, obstinada,
y me acaricias casi con tu sombra
pesada
y leve a un tiempo.

Agazapada
bajo las piedras y las horas,
esperaste, paciente, la llegada
de esta tarde
en la que nada
es ya posible...
        Mi corazón:
tu nido.
        Muerde en él, esperanza.

REFLEXIÓN PRIMERA

Despertar para encontrarme
esto:
la vida así dispuesta,
el cielo
turbio, la lluvia
que lame los cristales.

Abrir los ojos para ver
lo mismo,
poner el cuerpo en marcha para andar
lo mismo,
comenzar a vivir, pero sabiendo
el fracaso final de la hora última.

Si esto es la vida, Dios,
si éste es tu obsequio,
te doy las gracias —*gracias*— y te digo:
Guárdalo para ti y para tus ángeles.

Me hace daño la luz con que me alumbras,
me enloquece tu música
de pájaros,
pesa tu cielo demasiado,
oprime,
aplasta, bajo y gris, como una losa.

Todo está bien, lo sé.
Tu orden
se cumple.
                    Pero alguien
envenenó las fuentes
de mi vida, y mi corazón es
pasión inútil, odio
ciego, amor desorbitado,
crisol donde se funden
contrariedades con contradicciones.

Y mi voluntad sigue,
inútilmente,
empeñada en la lucha más terrible:
vivir lo mismo que si tú existieras.

Trabajé el aire,
se lo entregué al viento:
voló, se deshizo,
se volvió silencio.

Por el ancho mar,
por los altos cielos,
trabajé la nada,
realicé el esfuerzo,
perforé la luz,
ahondé el misterio.

Para nada, ahora,
para nada, luego:
humo son mis obras,
ceniza mis hechos.

... y mi corazón
que se queda en ellos.

AYER

Ayer fue miércoles toda la mañana.
Por la tarde cambió:
se puso casi lunes,
la tristeza invadió los corazones
y hubo un claro
movimiento de pánico hacia los
tranvías
que llevan los bañistas hasta el río.

A eso de las siete cruzó el cielo
una lenta avioneta, y ni los niños
la miraron.
          Se desató
el frío,
alguien salió a la calle con sombrero,
ayer, y todo el día
fue igual,
ya veis,
qué divertido,
ayer y siempre ayer y así hasta ahora,
continuamente andando por las calles
gente desconocida,
o bien dentro de casa merendando
pan y café con leche, ¡qué
alegría!

La noche vino pronto y se encendieron
amarillos y cálidos faroles,
y nadie pudo
impedir que al final amaneciese
el día de hoy,
tan parecido
pero
¡tan diferente en luces y en aroma!

Por eso mismo,
porque es como os digo,
dejadme que os hable
de ayer, una vez más
de ayer: el día
incomparable que ya nadie nunca
volverá a ver jamás sobre la tierra.

PORVENIR

Te llaman porvenir
porque no vienes nunca.
Te llaman: porvenir,
y esperan que tú llegues
como un animal manso
a comer en su mano.
Pero tú permaneces
más allá de las horas,
agazapado no se sabe dónde.
... Mañana!
       Y mañana será otro día tranquilo
un día como hoy, jueves o martes,
cualquier cosa y no eso
que esperamos aún, todavía, siempre.

CUMPLEAÑOS DE AMOR

¿Cómo seré yo
cuando no sea yo?
Cuando el tiempo
haya modificado mi estructura,
y mi cuerpo sea otro,
otra mi sangre,
otros mis ojos y otros mis cabellos.
Pensaré en ti, tal vez.
Seguramente,
mis sucesivos cuerpos
—prolongándome, vivo, hacia la muerte—
se pasarán de mano en mano,
de corazón a corazón,
de carne a carne,
el elemento misterioso
que determina mi tristeza
cuando te vas,
que me impulsa a buscarte ciegamente,
que me lleva a tu lado
sin remedio:
lo que la gente llama amor, en suma.
Y los ojos
—qué importa que no sean estos ojos—
te seguirán a donde vayas, fieles.

MENSAJE A LAS ESTATUAS

Vosotras, piedras
violentamente deformadas,
rotas
por el golpe preciso del cincel,
exhibiréis aún durante siglos
el último perfil que os dejaron:
senos inconmovibles a un suspiro,
firmes
piernas que desconocen la fatiga,
músculos
tensos
en su esfuerzo inútil,
cabelleras que el viento
no despeina,
ojos abiertos que la luz rechazan.
Pero
vuestra arrogancia
inmóvil, vuestra fría
belleza,
la desdeñosa fe del inmutable
gesto, acabarán
un día.
El tiempo es más tenaz.
La tierra espera
por vosotras también.
En ella caeréis por vuestro peso,
seréis,

si no ceniza,
ruinas,
polvo, y vuestra
soñada eternidad será la nada.
Hacia la piedra regresaréis piedra,
indiferente mineral, hundido
escombro,
después de haber vivido el duro, ilustre,
solemne, victorioso, ecuestre sueño
de una gloria erigida a la memoria
de algo también disperso en el olvido.

DISCURSO A LOS JÓVENES

De vosotros,
los jóvenes,
espero
no menos cosas grandes que las que realizaron
vuestros antepasados.
Os entrego
una herencia grandiosa:
sostenedla.
Amparad ese río
de sangre,
sujetad con segura
mano
el tronco de caballos
viejísimos,
pero aún poderosos,
que arrastran con pujanza
el fardo de los siglos
pasados.

Nosotros somos estos
que aquí estamos reunidos,
y los demás no importan.

Tú, Piedra,
hijo de Pedro, nieto
de Piedra
y biznieto de Pedro,

esfuérzate
para ser siempre piedra mientras vivas,
para ser Pedro Petrificado Piedra Blanca,
para no tolerar el movimiento
para asfixiar en moldes apretados
todo lo que respira o que palpita.

A ti,
mi leal amigo,
compañero de armas,
escudero,
sostén de nuestra gloria,
joven alférez de mis escuadrones
de arcángeles vestidos de aceituna,
sé que no es necesario amonestarte:
con seguir siendo fuego y hierro,
basta.
Fuero para quemar lo que florece.
Hierro para aplastar lo que se alza.

Y finalmente,
tú, dueño
del oro y de la tierra
poderoso impulsor de nuestra vida,
no nos faltes jamás.
Sé generoso
con aquellos a los que necesitas,
pero guarda,
expulsa de tu reino,
mantenlos más allá de tus fronteras,
déjalos que se mueran,
si es preciso,
a los que sueñan,

a los que no buscan
más que luz y verdad,
a los que deberían ser humildes
y a veces no lo son, así es la vida.

Si alguno de vosotros
pensase
yo le diría: no pienses.

Pero no es necesario.
Seguid así,
hijos míos,
y yo os prometo
paz y patria feliz,
orden,
silencio.

ENTREACTO

No acaba aquí la historia.
Esto es sólo
una pequeña pausa para que descansemos.
La tensión es tan grande,
la emoción que desprende la trama es tan
intensa,
que todos,
bailarines y actores, acróbatas
y distinguido público,
agradecemos
la convencional tregua del entreacto,
y comprobamos
alegremente que todo era mentira,
mientras los músicos afinan sus violines.
Hasta ahora hemos visto
varias escenas rápidas que preludiaban muerte,
conocemos el rostro de ciertos personajes
y sabemos
algo que incluso muchos de ellos ignoran:
el móvil
de la traición y el nombre
de quien la hizo.
Nada definitivo ocurrió todavía,
pero
la desesperación está nítidamente
dibujada, y los intérpretes
intentan evitar el rigor del destino

poniendo
demasiado calor en sus exuberantes
ademanes, demasiado carmín en sus sonrisas
falsas,
con lo que —es evidente— disimulan
su cobardía, el terror
que dirige
sus movimientos en el escenario.
Aquellos
ineficaces y tortuosos diálogos
refiriéndose a ayer, a un tiempo
ido,
completan, sin embargo,
el panorama roto que tenemos
ante nosotros, y acaso
expliquen luego muchas cosas, sean
la clave que al final lo justifique
todo.
No olvidemos tampoco
las palabras de amor junto al estanque,
el gesto demudado, la violencia
con que alguien dijo:
                    «no»,
                            mirando al cielo,
y la sorpresa que produce
el torvo jardinero cuando anuncia:
«Llueve, señores,
llueve
todavía».
Pero tal vez sea pronto para hacer conjeturas:
dejemos
que la tramoya se prepare,
que los que han de morir recuperen su aliento,

y pensemos,
cuando el drama prosiga y el dolor
fingido
se vuelva verdadero en nuestros corazones,
que nada puede hacerse, que está próximo
el final que tenemos de antemano,
que la aventura acabará, sin duda,
como debe acabar, como está escrito,
como es inevitable que suceda.

Pájaro enorme, abres
tus alas silenciosas
y dejas
que el viento
te eleve.
Tú estás quieto, impasible,
y las ciudades
giran bajo tu vientre, pasan
rápidas, desaparecen por el otro extremo
del horizonte,
rayando
con sus veletas y sus altas cruces
el aire enrojecido de la tarde.
Puro y ajeno espectador,
te basta
con cambiar levemente de postura
para
que el continuo rebaño de montañas,
y bosques,
y ciudades,
se pierda en lentas curvas,
dé vueltas al paisaje
como un río
poderoso y tranquilo
en cuyas aguas navegamos todos
los que te contemplamos desde abajo.
Es el mundo el que pasa:
tú te quedas
inmóvil en lo alto.

Y si pliegas
las alas y desciendes, la corriente
te arrastra a ti también,
y compartes así
nuestro fugaz destino un solo instante.

PASTOR DE VIENTOS

Pastor de vientos, desde
los infinitos horizontes
acuden los rebaños a tus manos.
Seguro el porvenir, miras el ancho
paisaje de colinas, esperando
la brisa que te traiga
aquel aroma dócil a tomillo
o el hondo olor a bosque del invierno.
La lluvia viene luego, infatigable,
y se acuesta a tus pies formando charcos
que emigran hacia el cielo en el verano.
Y por el aire bajan
pájaros y perfumes, hojas secas,
mil cosas
que tú dejas o guardas con mirada profunda.
Cada día te trae una sorpresa,
y tú cantas,
pastor,
cantas o silbas
a las altas estrellas también tuyas.

GRADO ELEMENTAL

(1962)

PERLA DE LAS ANTILLAS

Ha estallado una perla, y las cenizas
de la libertad,
empujadas por el viento del Caribe,
siembran el desconcierto y el terror
entre los responsables de un continente inmenso.
Desde la Casa Blanca a la Rosada,
todos los techos de las Grandes Casas
están amenazados
por el irreparable, cruel desastre:
ha estallado una perla, y los residuos
de la dignidad
pueden contaminar a mucha gente.

Es preciso evitarlo, porque
si los indios que obtienen el estaño y el cobre
en las minas de Chile y de Bolivia,
si los habitantes de los suburbios de Buenos Aires
y los desposeídos del Perú,
si los oscuros buscadores de caucho
y los integrantes de las tribus de Paraguay y de Colombia,
si los analfabetos ciudadanos de Méjico
inscritos en el centro de electores y borrados del
    Registro de la propiedad,
si los que fertilizan con su sudor las plantaciones
de azúcar y café,
si los que recortan las pesadas selvas a golpe de machete

para incrementar la producción mundial de piñas en
   conserva,
si todos ellos y sus otros muchos
hermanos
en la desnutrición
sufriesen en su carne
la quemadura de la nefanda escoria
de la dignidad,
acaso
pretendiesen ser libres.
                                    Y entonces
¿qué sería de las grandes Compañías,
de los trusts y los cártels,
de los jugadores de Bolsa
y de los propietarios de prostíbulos?

En nombre de esos valores fundamentales
y de otros menos cotizados,
alguien debe hacer algo
para evitarlo.

Pero
ha estallado una perla.
Peligroso es ahora el viento del Caribe.
Entre el olor salobre de la mar,
y el aroma más denso de las frutas del Trópico,
entre el brillante polen de las flores
que crecen donde el sol es un flagelo
infatigable y amarillo,
entre plumas de verdes papagallos,
y golpes de guitarras, y sonrisas
blancas como canciones en la noche,
el viento arrastra una semilla

perfumada y violenta,
una simiente fina como el polvo,
nube dorada o resplandor sin nube,
que los tifones lanzan —trizada
perla— contra las costas más lejanas,
y las brisas recogen y pasean
y las lluvias abaten —astillada
Antilla— sobre el suelo,
tormenta ciega o cielo derribado
—izada Cuba, como una bandera—
llama implacable o luz definidora,
mas siempre pura, viva, poderosa,
fértil semilla de la libertad.

CAMPOSANTO EN COLLIURE

Aquí paz,
y después gloria.

Aquí,
a orillas de Francia,
en donde Cataluña no muere todavía
y prolonga en carteles de «Toros à Ceret»
y de «Flamenco's Show»
esa curiosa España de las ganaderías
de reses bravas y de juergas sórdidas,
reposa un español bajo una losa:
                              paz
y después gloria.

Dramático destino,
triste suerte
morir aquí
          —paz
y después...—
                    perdido,
abandonado
y liberado a un tiempo
(ya sin tiempo)
de una patria sombría e inclemente.

Sí; después gloria.

Al final del verano,
por las proximidades

pasan trenes nocturnos, subrepticios,
rebosantes de humana mercancía:
mano de obra barata, ejército
vencido por el hambre

               —paz...—,
otra vez desbandada de españoles
cruzando la frontera, derrotados
—... sin gloria.

Se paga con la muerte
o con la vida,
pero se paga siempre una derrota.

¿Qué precio es el peor?
                 Me lo pregunto
y no sé qué pensar
ante esta tumba,
ante esta paz
           —«Casino
de Canet: spanish gipsy dancers»,
rumor de trenes, hojas...—,
ante la gloria ésta
—... de reseco laurel—
que yace aquí, abatida
bajo el ciprés erguido,
igual que una bandera al pie de un mástil.

Quisiera,
a veces,
que borrase el tiempo
los nombres y los hechos de esta historia
como borrará un día mis palabras
que la repiten siempre tercas, roncas.

INTRODUCCIÓN A LAS FÁBULAS
PARA ANIMALES

Durante muchos siglos
la costumbre fue ésta:
aleccionar al hombre con historias
a cargo de animales de voz docta,
de solemne ademán o astutas tretas,
tercos en la maldad y en la codicia
o necios como el ser al que glosaban.
La humanidad les debe
parte de su virtud y su sapiencia
a asnos y leones, ratas, cuervos,
zorros, osos, cigarras y otros bichos
que sirvieron de ejemplo y moraleja,
de estímulo también y de escarmiento
en las ajenas testas animales,
al imaginativo y sutil griego,
al severo romano, al refinado
europeo,
al hombre occidental, sin ir más lejos.
Hoy quiero —y perdonad la petulancia—
compensar tantos bienes recibidos
del gremio irracional
describiendo algún hecho sintomático,
algún matiz de la conducta humana
que acaso pueda ser educativo
para las aves y para los peces,
para los celentéreos y mamíferos,

dirigido lo mismo a las amebas
más simples
como a cualquier especie vertebrada.
Ya nuestra sociedad está madura,
ya el hombre dejó atrás la adolescencia
y en su vejez occidental bien puede
servir de ejemplo al perro
para que el perro sea
más perro,
y el zorro más traidor,
y el león más feroz y sanguinario,
y el asno como dicen que es el asno,
y el buey más inhibido y menos toro.
A toda bestia que pretenda
perfeccionarse como tal

               —ya sea
con fines belicistas o pacíficos,
con miras financieras o teológicas,
o por amor al arte simplemente—
no cesaré de darle este consejo:
que observe al *homo sapiens,* y que aprenda.

ELEGIDO POR ACLAMACIÓN

Sí, fue un malentendido.
                      Gritaron: ¡a las urnas!
y él entendió: ¡a las armas! —dijo luego.
Era pundonoroso y mató mucho.
Con pistolas, con rifles, con decretos.

Cuando envainó la espada dijo, dice:
La democracia es lo perfecto.
El público aplaudió. Sólo callaron,
impasibles, los muertos.

El deseo popular será cumplido.
A partir de esta hora soy —silencio—
el Jefe, si queréis. Los disconformes
que levanten el dedo.

Inmóvil mayoría de cadáveres
le dio el mando total del cementerio.

NOTA NECROLÓGICA

El perfecto funcionario,
el ciudadano honesto,
tras largos años de servicios al Estado
y al onanismo —era de estado viudo—,
había logrado con el tiempo
una estructura ósea funcional
perfectamente adaptada al pupitre
sobre el que se inclinaba cada día
ocho horas
(desde las nueve en punto
de todas las mañanas,
desde el centro ferviente
de todos sus deseos),
ocho horas,
sabedlo,
ocho diarias
horas
dedicadas
   a delicadas
       manipulaciones
con míticos papeles que él no osaba
comprender,
pero que resumía
en el Libro Registro
con grácil perfección de pendolista.

Un esqueleto así, una paciencia
tan valiosa,
un talento
llevado hasta los límites más fértiles
de su especialidad: caligrafía,
una puntualidad tan bien lograda,
un temblor tan notorio ante los jefes,
no podían quedar sin recompensa.

Y de ese modo
obtuvo los ascensos que marca el Reglamento,
el derecho
a pagar mensualmente
la cuota titulada del Seguro
de Vejez *(luego es seguro*
—pensaba—
que si pago por esto
moriré muy anciano, ya no hay duda),
la percepción del Plus de Carestía
de Vida *(es formidable:*
la vida sube, es cierto, pero en cambio
todo —y aún hay quien protesta—
está previsto),
y un sin par privilegio consistente
en el deber de usar corbata, y hasta
de afeitarse tres veces por semana.

De su bronquitis y de su miopía
—mañanas frías, documentos largos—
preferible es no hablar
en atención a su modestia. Sólo
recordaremos su presencia de ánimo,
su indiferencia frente a los elogios,

cuando
—con ocasión de no sé qué acto público—
alguien habló del brillo
de la virtud,
y él trató de ocultar contra un pupitre
los codos grises de su americana
resplandecientes y delgados como
el plumaje de plata de un arcángel.

Y en fin, para qué más. Su biografía
—es decir, su expediente—
se cerró un día de brumoso enero. El asma
pudo con el tesón y la costumbre
y logró sujetar ya para siempre
aquel cuerpo que iba y que tosía
cada mañana en punto hacia una mesa,
cada jornada entera hasta muy tarde.

Esa mano indomable con la pluma,
esa honesta
testa que detestaba el pensamiento
(o se piensa o se cumple lo ordenado,
solía murmurar), yacen ahora
confundidas con huesos menos nobles
bajo una piedra idéntica a otras muchas.

Solamente su nombre y su apellido
de teórico ser civil y humano
dan fe de una existencia inexistente,
cubren las apariencias de una vida
que nunca fue más real que ahora, cuando
al olvido que incide en su memoria
se opone el fiel contraste de la muerte.

PALABRA SOBRE PALABRA

(1965)

ME BASTA ASÍ

Si yo fuese Dios
y tuviese el secreto,
haría
un ser exacto a ti;
lo probaría
(a la manera de los panaderos
cuando prueban el pan, es decir:
con la boca),
y si ese sabor fuese
igual al tuyo, o sea
tu mismo olor, y tu manera
de sonreír,
y de guardar silencio,
y de estrechar mi mano estrictamente,
y de besarnos sin hacernos daño
—de esto sí estoy seguro: pongo
tanta atención cuando te beso—;
                            entonces,
si yo fuese Dios,
podría repetirte y repetirte,
siempre la misma y siempre diferente,
sin cansarme jamás del juego idéntico,
sin desdeñar tampoco la que fuiste
por la que ibas a ser dentro de nada;
ya no sé si me explico, pero quiero
aclarar que si yo fuese
Dios, haría

lo posible por ser Ángel González
para quererte tal como te quiero,
para aguardar con calma
a que te crees tú misma cada día,
a que sorprendas todas las mañanas
la luz recién nacida con tu propia
luz, y corras
la cortina impalpable que separa
el sueño de la vida,
resucitándome con tu palabra,
Lázaro alegre,
yo,
mojado todavía
de sombras y pereza,
sorprendido y absorto
en la contemplación de todo aquello
que, en unión de mí mismo,
recuperas y salvas, mueves, dejas
abandonado cuando —luego— callas...
(Escucho tu silencio.
                              Oigo
constelaciones: existes.
                              Creo en ti.
                                        Eres.
                                        Me basta.)

TRATADO DE URBANISMO
(1967)

INVENTARIO DE LUGARES PROPICIOS
AL AMOR

Son pocos.
La primavera está muy prestigiada, pero
es mejor el verano.
Y también esas grietas que el otoño
forma al interceder con los domingos
en algunas ciudades
ya de por sí amarillas como plátanos.
El invierno elimina muchos sitios:
quicios de puertas orientadas al norte,
orillas de los ríos,
bancos públicos.
Los contrafuertes exteriores
de las viejas iglesias
dejan a veces huecos
utilizables aunque caiga nieve.
Pero desengañémonos: las bajas
temperaturas y los vientos húmedos
lo dificultan todo.
Las ordenanzas, además, proscriben
la caricia (con exenciones
para determinadas zonas epidérmicas
—sin interés alguno—
en niños, perros y otros animales)
y el «no tocar, peligro de ignominia»
puede leerse en miles de miradas.
¿A dónde huir, entonces?

Por todas partes ojos bizcos,
córneas torturadas,
implacables pupilas,
retinas reticentes,
vigilan, desconfían, amenazan.
Queda quizá el recurso de andar solo,
de vaciar el alma de ternura
y llenarla de hastío e indiferencia,
en este tiempo hostil, propicio al odio.

JARDÍN PÚBLICO CON PIERNAS
PARTICULARES

... y las muchachas andan con las piernas desnudas:
¿por qué las utilizan
para andar?
Mentalmente repaso
oficios convincentes
para ellas —las piernas—,
digamos: situaciones
más útiles al hombre
que las mira
despacio,
silbando entre los dientes
una canción recuperada
apenas
                —*ese oficio no me gusta...*—
en el acantilado del olvido.
Si bien se mira, bien se ve que todas
son bellas: las que pasan
llevando hacia otro sitio
cabellos, voces, senos,
ojos, gestos, sonrisas;
las que permanecen
cruzadas,
dobladas como ramas bajo el peso
de la belleza cálida, caída
desde el dulce abandono de los cuerpos sentados;
las esbeltas y largas;

las tersas y bruñidas; las cubiertas
de leve vello, tocadas por la gracia
de la luz, color miel, comestibles
y apetitosas como frutas frescas;
y también —sobre todo— aquellas que demoran
su pesado trayecto hasta el tobillo
en el curvo perfil que delimita
las pueriles, alegres, inocentes,
irreflexivas, blancas pantorrillas.
Pensándolo mejor, duele mirarlas:
tanta gracia dispersa, inaccesible,
abandonada entre la primavera,
abruma el corazón del conmovido
espectador
que siente la humillante quemadura
de la renuncia,
y maldice en voz baja,
y se apoya en la verja el estanque,
y mira el agua,
y ve su propio rostro,
y escupe distraído, mientras sigue
con los ojos los círculos
que trazan en la tensa superficie
su soledad, su miedo, su saliva.

LOS SÁBADOS, LAS PROSTITUTAS MADRUGAN MUCHO PARA ESTAR DISPUESTAS

Elena despertó a las dos y cinco,
abrió despacio las contraventanas
y el sol de invierno hirió sus ojos
enrojecidos. Apoyada
la frente en el cristal,
miró a la calle: niños con bufandas,
perros. Tres curas
paseaban.
En ese mismo instante,
Dora comenzaba
a ponerse las medias.
Las ligas le dejaban
una marca en los muslos ateridos.
Al encender la radio —«Aída:
marcha triunfal»—,
recordaba palabras
—«Dora, Dorita, te amo»—
a la vez que intentaba
reconstruir el rostro de aquel hombre
que se fue ayer —es decir, hoy— de madrugada,
y leía distraída una moneda:
«Veinticinco pesetas.» «... por la gracia
de Dios.»
          (Y por la cama)

PARQUE PARA DIFUNTOS

En el jardín germinan los cadáveres.
La pompa de la rosa
jamás, no, nunca es fúnebre.
Únicamente, al entreabrir sus pétalos
devuelve una de tantas
sonrisas que no, nunca, jamás se produjeron
y que la tierra se tragó nonatas.
                                    Lo mismo
podríamos afirmar de las magnolias
respecto
al impreciso nácar de esas ingles
jamás, nunca, no vistas hasta ahora
con una opacidad tan delicada,
luminosa y sombría al mismo tiempo

(Pienso:
            cuando tú hayas muerto,
¿qué flor será capaz de recoger
aunque tan sólo sea
una mínima parte
del perfil delicado de tu cuello?;
jamás, ninguna, nunca,
                        —pienso.)

La brisa,
al conmover las ramas del cerezo,
dispersa

una eyaculación de leves hojas blancas
sobre los ojerosos pensamientos:
así retorna al aire un afán enterrado,
vuelve a latir, regresa
un perdido deseo.

Hay margaritas entre el césped —¡cuántas!
Circulan transeúntes macilentos
por los senderos soleados. Rezan
—*luego existimos,* creen. Pasan
sin escuchar el grito luminoso
de los lirios,
sin advertir el gesto
de las dalias doradas, que señalan
sus lúgubres figuras con sus múltiples dedos.

Pronto lo veréis todo a través de mi tallo
—susurra un nomeolvides—,
periscopio final de vuestros sueños.

PREÁMBULO A UN SILENCIO

Porque se tiene conciencia de la inutilidad de tantas cosas
a veces uno se sienta tranquilamente a la sombra de un árbol
    —en verano—
y se calla.

(¿Dije tranquilamente?: falso, falso:
uno se sienta inquieto haciendo extraños gestos,
pisoteando las hojas abatidas
por la furia de un otoño sombrío,
destrozando con los dedos el cartón inocente de una caja de
    fósforos,
mordiendo injustamente las uñas de esos dedos,
escupiendo en los charcos invernales,
golpeando con el puño cerrado la piel rugosa de las casas que
    permanecen indiferentes al paso de la primavera,
una primavera urbana que asoma con timidez los flecos de
    sus cabellos verdes allá arriba,
detrás del zinc oscuro de los canalones,
levemente arraigada a la materia efímera de las tejas a punto
    de ser polvo.)

Eso es cierto, tan cierto
como que tengo un nombre con alas celestiales,
arcangélico nombre que a nada corresponde:
Ángel,
me dicen,
y yo me levanto

disciplinado y recto
con las alas mordidas
—quiero decir: las uñas—
y sonrío y me callo porque, en último extremo,
uno tiene conciencia
de la inutilidad de todas las palabras.

VALS DE ATARDECER

Los pianos golpean con sus colas
enjambres de violines y de violas.
Es el vals de las solas
y solteras,
el vals de las muchachas casaderas,
que arrebata por rachas
su corazón raído de muchachas.

A dónde llevará esa leve brisa,
a qué jardín con luna esa sumisa
corriente
que gira de repente
desatando en sus vueltas
doradas cabelleras, ahora sueltas,
borrosas, imprecisas
en el río de música y metralla
que es un vals cuando estalla
sus trompetas,

Todavía inquietas,
vuelan las flautas hacia el cordelaje
de las arpas ancladas en la orilla
donde los violoncelos se han dormido.
Los oboes apagan el paisaje.
Las muchachas se apean en sus sillas,
se arreglan el vestido
con manos presurosas y sencillas,
y van a los lavabos, como después de un viaje.

CANCIÓN PARA CANTAR UNA CANCIÓN

Esa música...
Insiste, hace daño
en el alma.
Viene tal vez de un tiempo
remoto, de una época imposible
perdida para siempre.
Sobrepasa los límites
de la música. Tiene materia,
aroma, es como polvo de algo
indefinible, de un recuerdo
que nunca se ha vivido,
de una vaga esperanza irrealizable.
Se llama simplemente:
canción.

Pero no es sólo eso.

Es también la tristeza.

CANCIÓN DE INVIERNO Y DE VERANO

Cuando es invierno en el mar del Norte
es verano en Valparaíso.
Los barcos hacen sonar sus sirenas al entrar en el puerto de
      Bremen con jirones de niebla y de hielo en sus cabos,
mientras los balandros soleados arrastran por la superficie
      del Pacífico Sur bellas bañistas.

Eso sucede en el mismo tiempo,
pero jamás en el mismo día.

Porque cuando es de día en el mar del Norte
—brumas y sombras absorbiendo restos
de sucia luz—
es de noche en Valparaíso
—rutilantes estrellas lanzando agudos dardos
a las olas dormidas.

Cómo dudar que nos quisimos,
que me seguía tu pensamiento
y mi voz te buscaba —detrás,
muy cerca, iba mi boca.
Nos quisimos, es cierto, y yo sé cuánto:
primaveras, veranos, soles, lunas.

Pero jamás en el mismo día.

CIUDAD CERO

Una revolución.
Luego una guerra.
En aquellos dos años —que eran
la quinta parte de toda mi vida—,
yo había experimentado sensaciones distintas.
Imaginé más tarde
lo que es la lucha en calidad de hombre.
Pero como tal niño,
la guerra, para mí, era tan sólo:
suspensión de las clases escolares,
Isabelita en bragas en el sótano,
cementerios de coches, pisos
abandonados, hambre indefinible,
sangre descubierta
en la tierra o las losas de la calle,
un terror que duraba
lo que el frágil rumor de los cristales
después de la explosión,
y el casi incomprensible
dolor de los adultos,
sus lágrimas, su miedo,
su ira sofocada,
que, por algún resquicio,
entraban en mi alma
para desvanecerse luego, pronto,
ante uno de los muchos
prodigios cotidianos: el hallazgo

de una bala aún caliente
el incendio
de un edificio próximo,
los restos de un saqueo
—papeles y retratos
en medio de la calle...
Todo pasó,
todo es borroso ahora, todo
menos eso que apenas percibía
en aquel tiempo
y que, años más tarde,
resurgió en mi interior, ya para siempre:
este miedo difuso,
esta ira repentina,
estas imprevisibles
y verdaderas ganas de llorar.

PRIMERA EVOCACIÓN

Recuerdo
bien
a mi madre.
Tenía miedo del viento,
era pequeña
de estatura,
la asustaban los truenos,
y las guerras
siempre estaba temiéndolas
de lejos,
desde antes
de la última ruptura
del Tratado suscrito
por todos los ministros de asuntos exteriores.

Recuerdo
que yo no comprendía.
El viento se llevaba
silbando
las hojas de los árboles,
y era como un alegre barrendero
que dejaba las niñas
despeinadas y enteras,
con las piernas desnudas e inocentes.

Por otra parte, el trueno
tronaba demasiado, era imposible

soportar sin horror esa estridencia,
aunque jamás ocurría nada luego:
la lluvia se encargaba de borrar
el dibujo violento del relámpago
y el arco iris ponía
un bucólico fin a tanto estrépito.

Llegó también la guerra un mal verano.
Llegó después la paz, tras un invierno
todavía peor. Esa vez, sin embargo,
no devolvió lo arrebatado el viento.
Ni la lluvia
pudo borrar las huellas de la sangre.
Perdido para siempre lo perdido,
atrás quedó definitivamente
muerto lo que fue muerto.

Por eso (y por más cosas)
recuerdo muchas veces a mi madre:

cuando el viento
se adueña de las calles de la noche,
y golpea las puertas, y huye, y deja
un rastro de cristales y de ramas
rotas, que al alba
la ciudad muestra desolada y lívida;

cuando el rayo
hiende el aire, y crepita,
y cae en tierra,
trazando surcos de carbón y fuego,
erizando los lomos de los gatos
y trastocando el norte de las brújulas;

y, sobre todo, cuando
la guerra ha comenzado,
lejos —nos dicen— y pequeña
—no hay por qué preocuparse—, cubriendo
de cadáveres mínimos distantes territorios,
de crímenes lejanos, de huérfanos pequeños...

BREVES ACOTACIONES
PARA UNA BIOGRAFÍA

(1969)

OTRAS VECES

Quisiera estar en otra parte,
mejor en otra piel,
y averiguar si desde allí la vida,
por las ventanas de otros ojos,
se ve así de grotesca algunas tardes.

Me gustaría mucho conocer
el efecto abrasivo del tiempo en otras vísceras,
comprobar si el pasado
impregna los tejidos del mismo zumo acre,
si todos los recuerdos en todas las memorias
desprenden este olor
a fruta mustia y a jazmín podrido.

Desearía mirarme
con las pupilas duras de aquel que más me odia,
para que así el desprecio
destruya los despojos
de todo lo que nunca enterrará el olvido.

ESO ERA AMOR

Le comenté:
—*Me entusiasman tus ojos.*
Y ella dijo:
            —*¿Te gustan solos o con rímel?*
—*Grandes,*
            respondí sin dudar.
Y también sin dudar
me los dejó en un plato y se fue a tientas.

MI VOCACIÓN PROFUNDA

Yo buceo debajo de las cosas.
La gente dice: buzo,
y yo emerjo desde el fondo de las mesas,
chorreando tallarines como un tritón de alcoba.

Una vez crucé un año debajo de los días.
Cuando llegué de nuevo al mes de enero
tuvieron que hacerme la respiración boca a boca.
Me dio tanto asco que volví a sumergirme.

Nada hay comparable, sin embargo,
al gozo inoxidable de trocearse en dedos,
narices, ojos, penes, labios, cabellos, risas,
y refugiarse en vasos individuales llenos
de ginebra con menta
hasta que alguien nos diga agitando banderas:
comencemos de nuevo;
la guerra ha terminado con el triunfo de mayo.

HOY

Hoy todo me conduce a su contrario:
el olor de la rosa me entierra en sus raíces,
el despertar me arroja a un sueño diferente,
existo, luego muero.

Todo sucede ahora en un orden estricto:
los alacranes comen en mis manos,
las palomas me muerden las entrañas,
los vientos más helados me encienden las mejillas.

Hoy es así mi vida.
Me alimento del hambre.
Odio a quien amo.

Cuando me duermo, un sol recién nacido
me mancha de amarillo los párpados por dentro.

Bajo su luz, cogidos de la mano,
tú y yo retrocedemos desandando los días
hasta que al fin logramos perdernos en la nada.

PROCEDIMIENTOS NARRATIVOS
(1972)

ÉGLOGA

Me eduqué en una comunidad religiosa
que contaba con monjas muy inteligentes.
Los jueves se exhibían en los claustros.
—*Dame la manita,*
                    les decían los visitantes
ofreciéndoles bombones y monedas.
Pero ellas no daban nada: al contrario,
pedían continuamente.

En domingo tocaban las campanas.
Era hermoso mirarlas, tan lustrosas,
lamiéndose los velos cuando en marzo
el sol de mediodía presagiaba tormenta.

Había una, sobre todo, que era muy cazadora.
Perseguía a las niñas más allá de las tapias
y las traía sujetas por el pelo
hasta los breves pies de la madre abadesa.

Al caer de la tarde paseaban
por una carretera sombreada de chopos.
Se cruzaban con carros y rebaños,
caminaban ligeras, y el murmullo
de sus voces
el viento lo llevaba y lo traía
volando por los campos
entre esquilas y abejas,
como un tierno balido gregoriano.

Si oían a lo lejos la bocina de un coche,
se dispersaban hacia las cunetas,
ruidosas, excitadas y confusas.

Cuando el aire
quedaba limpio de polvo y estrépito,
se las podía ver, al fin tranquilas,
picoteando moras en las zarzas.

A la hora del ángelus,
fatigadas y dóciles,
ellas mismas volvían a las celdas,
como si las llevase del rosario
—tironeando dulce y firmemente—
la omnipresente mano de su Dueño.

QUINTETO ENTERRAMIENTO PARA CUERDA EN CEMENTERIO Y PIANO RURAL

El primer violín canta
en lo alto del llanto
igual que un ruiseñor sobre un ciprés.

Como una mariposa,
la viola apenas viola
el reposo del aire.

Cruza el otro violín a ras del *cello,*
semejante a un lagarto
que entre dos manchas verdes
deja sólo el recuerdo de la luz de su cola.

Piano negro,
féretro entreabierto:
¿quién muere ahí?

Sobre los instrumentos,
los arcos
dibujan lentamente
la señal de la cruz
casi en silencio.

Pianista enlutado
que demoras los dedos
en una frase grave, lenta, honda:
todos
te acompañamos en el sentimiento.

FINAL CONOCIDO

Después de haber comido entrambos doce nécoras,
alguien dijo a Pilatos:
                                    —*¿Y qué hacemos ahora?*
Él vaciló un instante y respondía
(educado, distante, indiferente):
—*Chico, tú haz lo que quieras.*
                                    Yo me lavo las manos.

MUESTRA, CORREGIDA Y AUMENTADA, DE ALGUNOS PROCEDIMIENTOS NARRATIVOS Y DE LAS ACTITUDES SENTIMENTALES QUE HABITUALMENTE COMPORTAN

(1976)

INTRODUCCIÓN A UNOS POEMAS ELEGÍACOS

Dispongo aquí unos grupos de palabras.

No aspiro únicamente
a decorar con inservibles gestos
el yerto mausoleo de los días
idos, abandonados para siempre como
las salas de un confuso palacio que fue nuestro,
al que ya nunca volveremos.

Que esas palabras,
en su inutilidad

—lo mismo que las rosas enterradas
con un cuerpo querido
que ya no puede verlas ni gozar de su aroma—

sean al menos,

cuando el paso del tiempo las marchite
y su sentido oscuro se deshaga o se ignore,

eterno —si eso fuese posible— testimonio,

no del perdido bien que rememoran;

tampoco de la mano
—borrada ya en la sombra—
que hoy las deja en la sombra,

sino de la piedad que la ha movido.

ENTONCES

Entonces,
en los atardeceres de verano,
el viento
traía desde el campo hasta mi calle
un inestable olor a establo

y a hierba susurrante como un río

que entraba con su canto y con su aroma
en las riberas pálidas del sueño.

Ecos remotos,
sones desprendidos
de aquel rumor,
hilos de una esperanza
poco a poco deshecha,
se apagan dulcemente en la distancia:

ya ayer va susurrante como un río

llevando lo soñado aguas abajo,
hacia la blanca orilla del olvido.

A MANO AMADA

A mano amada,
cuando la noche impone su costumbre de insomnio,
y convierte
cada minuto en el aniversario
de todos los sucesos de una vida;

allí,
en la esquina más negra del desamparo, donde
el nunca y el ayer trazan su cruz de sombras,

los recuerdos me asaltan.

Unos empuñan tu mirada verde,
                              otros
apoyan en mi espalda
el alma blanca de un lejano sueño,
y con voz inaudible,
con implacables labios silenciosos,
¡el olvido o la vida!,
                    me reclaman.

Reconozco los rostros.
                    No hurto el cuerpo.

Cierro los ojos para ver más hondo,
y siento
que me apuñalan fría,
justamente,
con ese hierro viejo:
                    la memoria.

REVERBERA LA MÚSICA EN LOS MUROS...

Reverbera la música en los muros
y traspasa mi cuerpo como si no existiese.

¿Soy sólo una memoria que regresa
desde el cabo remoto de la vida,
fiel a una invocación que no perdona?

Música que rechazan las paredes:
sólo soy eso.

Cuando ella cesa también yo me extingo.

A VECES, EN OCTUBRE, ES LO QUE PASA...

Cuando nada sucede,
y el verano se ha ido,
y las hojas comienzan a caer de los árboles,
y el frío oxida el borde de los ríos
y hace más lento el curso de las aguas;

cuando el cielo parece un mar violento,
y los pájaros cambian de paisaje,
y las palabras se oyen cada vez más lejanas,
como susurros que dispersa el viento;

entonces,
ya se sabe,
es lo que pasa:

esas hojas, los pájaros, las nubes,
las palabras dispersas y los ríos,
nos llenan de inquietud súbitamente
y de desesperanza.

No busquéis el motivo en vuestros corazones.
Tan sólo es lo que dije:
lo que pasa.

ELEGÍA PURA

Aquí no pasa nada,
salvo el tiempo:
irrepetible
música que resuena,
ya extinguida,
en un corazón hueco, abandonado,
que alguien toma un momento,
escucha
y tira.

TODO SE EXPLICA

La esperanza —antes tan diligente—
no viene a visitarnos hace tiempo.

Últimamente estaba distraída.
Llegaba siempre tarde, y nos llamaba
con nombres de parientes ya enterrados.
Nos miraba con ojos que le transparentaban,
igual que esos espejos que pierden el azogue.
Nos tocaba con manos realmente imperceptibles,
y amanecíamos llenos de arañazos.
También daba monedas que luego no servían.

Pero ahora, ni eso.
Hace ya tanto tiempo que no viene,
que hasta llegué a pensar:
                              ¿si se habrá muerto?

Después caí en la cuenta
de que los muertos éramos nosotros.

ESTOY BARTOK DE TODO...

Estoy bartok de todo,
bela
bartok de ese violín que me persigue,
de sus fintas precisas,
de las sinuosas violas,
de la insidia que el oboe propaga,
de la admonitoria gravedad del fagot,
de la furia del viento,
del hondo crepitar de la madera.

Resuena bela en todo bartok: tengo
miedo.
        La música
ha ocupado mi casa.
Por lo que oigo,
puede ser peligrosa.
Échenla fuera.

POÉTICA
a la que intento a veces aplicarme.

Escribir un poema: marcar la piel del agua.
Suavemente, los signos
se deforman, se agrandan,
expresan lo que quieren
la brisa, el sol, las nubes,
se distienden, se tensan, hasta
que el hombre que los mira
—adormecido el viento,
la luz alta—
o ve su propio rostro
o —transparencia pura, hondo
fracaso— no ve nada.

ORDEN. (POÉTICA
a la que otros se aplican.)

Los poetas prudentes,
como las vírgenes —cuando las había—,
no deben separar los ojos
del firmamento.
¡Oh, tú, extranjero osado
que miras a los hombres:
contempla las estrellas!
(El Tiempo, no la Historia.)
Evita
la claridad obscena.
                              (Cave canem.)
Y edifica el misterio.
                    Sé puro:
no nombres; no ilumines.
Que tu palabra oscura se derrame en la noche
sombría y sin sentido
lo mismo que el momento de tu vida.

CONTRA-ORDEN. (POÉTICA
por la que me pronuncio ciertos días.)

Esto es un poema.

Aquí está permitido
fijar carteles,
tirar escombros, hacer aguas
y escribir frases como:

Marica el que lo lea,
Amo a Irma,
Muera el... (silencio),
Arena gratis,
Asesinos,
etcétera.

Esto es un poema.
Mantén sucia la estrofa.
Escupe dentro.

Responsable la tarde que no acaba,
el tedio de este día,
la indeformable estolidez del tiempo.

POÉTICA N.º 4

Poesía eres tú,
                        dijo un poeta
—y esa vez era cierto—
mirando al Diccionario de la Lengua.

CALAMBUR

La axila vegetal, la piel de leche,
espumosa y floral, desnuda y sola,
niegas tu cuerpo al mar, ola tras ola,
y lo entregas al sol: que le aproveche.

La pupila de Dios, dulce y piadosa,
dora esta hora de otoño larga y cálida,
y bajo su mirada tu piel pálida
pasa de rosa blanca a rosa rosa.

Me siento dios por un instante: os veo
a él, a ti, al mar, la luz, la tarde.
Todo lo que contemplo vibra y arde,
y mi deseo se cumple en mi deseo:

dore mi sol así las olas y la
espuma que en tu cuerpo canta, canta
—más por tus senos que por tu garganta—
do re mi sol la si la sol la si la.

GLOSAS A HERÁCLITO

1

Nadie se baña dos veces en el mismo río.
Excepto los muy pobres.

2

Los más dialécticos, los multimillonarios:
nunca se bañan dos veces en el mismo
traje de baño.

3
(Traducción al chino.)

Nadie se mete dos veces en el mismo lío.
(Excepto los marxistas-leninistas.)

4
(Interpretación del pesimista.)

Nada es lo mismo, nada
permanece.
          Menos
la Historia y la morcilla de mi tierra:

se hacen las dos con sangre, se repiten.

DATO BIOGRÁFICO

Cuando estoy en Madrid,
las cucarachas de mi casa protestan porque leo por las noches.
La luz no las anima a salir de sus escondrijos,
y pierden de ese modo la oportunidad de pasearse por mi
    dormitorio,
lugar hacia el que
                —por oscuras razones—
se sienten irresistiblemente atraídas.
Ahora hablan de presentar un escrito de queja al presidente
    de la república,
y yo me pregunto:
¿en qué país se creerán que viven?;
estas cucarachas no leen los periódicos.

Lo que a ellas les gusta es que yo me emborrache
y baile tangos hasta la madrugada,
para así practicar sin riesgo alguno
su merodeo incesante y sin sentido, a ciegas
por las anchas baldosas de mi alcoba.

A veces las complazco,
no porque tenga en cuenta sus deseos,
sino porque me siento irresistiblemente atraído,
por oscuras razones,
hacia ciertos lugares muy mal iluminados
en los que me demoro sin plan preconcebido
hasta que el sol naciente anuncia un nuevo día.

Ya de regreso en casa,
cuando me cruzo por el pasillo con sus pequeños cuerpos
    que se evaden
con torpeza y con miedo
hacia las grietas sombrías donde moran,
les deseo buenas noches a destiempo
—pero de corazón, sinceramente—,
reconociendo en mí su incertidumbre,
su inoportunidad,
su fotofobia,
y otras muchas tendencias y actitudes
que —lamento decirlo—
hablan poco en favor de esos ortópteros.

ODA A LA NOCHE O LETRA PARA TANGO

Noche estrellada en aceptable uso,
con pálidos reflejos y opacidad lustrosa,
vieja chistera inútil en los tiempos que corren
como escuálidos galgos sobre el mundo,
definitivamente eres un lujo
que ha pasado de moda.

Tras la fría superficie de las calles de luna,
el alcanfor del sueño conserva en el almario
de la ciudad oscura a los que duermen
y no te verán nunca.

Yo, sin embargo, te llevo en la cabeza,
vieja noche de copa,
y cuando vuelvo a casa sorteando
imprevisibles gatos y farolas,
te levanto en un gesto final ceremonioso
dedicado a tus brillos y a mi sombra,
y te dejo colgada allá en lo alto
—¡hasta mañana, noche!—,
negra, deshabitada, misteriosa.

ODA A LOS NUEVOS BARDOS

Mucho les importa la poesía.
Hablan constantemente de la poesía,
y se prueban metáforas como putas sostenes
ante el oval espejo de las *oes* pulidas
que la admiración abre en las bocas afines.

Aman la intimidad, sus interioridades
les producen orgasmos repentinos:
entreabren las sedas de su escote,
desatan cintas, desanudan lazos,
y misteriosamente,
con señas enigmáticas que el azar mitifica,
llaman a sus adeptos:
                              —*Mira, mira...*

Detrás de las cortinas,
en el lujo en penumbra de los viejos salones
que los brocados doran con resplandor oscuro,
sus adiposidades brillan pálidamente
un instante glorioso.
                              Eso les basta.

Otras tardes de otoño reconstruyen
el esplendor de un tiempo desahuciado
por deudas impagables, perdido en la ruleta
de un lejano Casino junto a un lago
por el que se deslizan cisnes, *cisnes*

cuyo perfil
            —anotan sonrientes—

susurra, intermitente, eses silentes:
aliterada letra herida,
casi exhalada
            —puesto que surgida
de la aterida pulcritud del ala—
en un S.O.S. que resbala
y que un peligro inadvertido evoca.
¡Y el cisne-cero-cisne que equivoca
al agua antes tranquila y ya alarmada,
era tan sólo nada-cisne-nada!

Pesados terciopelos sus éxtasis sofocan.

NOTAS DE UN VIAJERO

Siempre es igual aquí el verano:
sofocante y violento.
                    Pero
hace muy pocos años todavía
este paisaje no era así.
                    Era
más limpio y apacible —me cuentan—,
más claro, más sereno.

Ahora
el Imperio contrajo sus fronteras
y la resaca de una paz dudosa
arrastró a la metrópoli,
desde los más lejanos confines de la tierra,
un tropel pintoresco y peligroso:
aventureros, mercaderes,
soldados de fortuna, prostitutas, esclavos
recién manumitidos, músicos ambulantes,
falsos profetas, adivinos, bonzos,
mendigos y ladrones
que practican su oficio cuando pueden.

Todo el mundo amenaza a todo el mundo,
unos por arrogancia, otros por miedo.
Junto a las villas de los senadores,
insolentes hogueras
delatan la presencia de los bárbaros.

Han llegado hasta aquí con sus tambores,
asan carne barata al aire libre, cantan
canciones aprendidas en sus lejanas islas.
No conmemoran nada: rememoran,
repiten ritmos, sueños y palabras
que muy pronto
perderán su sentido.

Traidores a su pueblo,
                              desterrados
por su traición,
despreciados
por quienes los acogen con disgusto
tras haberlos usado sin provecho,
acaso un día
sea ésta la patria de sus hijos;
nunca la de ellos.
Su patria es esa música tan sólo,
el humo y la nostalgia
que levantan su fuego y sus canciones.

Cerca del Capitolio
hay tonsurados monjes mendicantes,
embadurnados de ceniza y púrpura,
que predican y piden mansamente
atención y monedas.
Orgullosos negros,
ayer todavía esclavos,
miran a las muchachas de tez clara
con sonrisa agresiva,
y escupen cuando pasan los soldados.
(Por mucho menos los ahorcaban antes.)

Desde sus pedestales,
los Padres de la Patria contemplan desdeñosos
el corruptor efecto de los días
sobre la gloria que ellos acuñaron.
Ya no son más que piedra o bronce, efigies,
perfiles en monedas, tiempo ido
igual que sus vibrantes palabras, convertidas
en letra muerta que decora
los mármoles solemnes en su honor erigidos.

El aire huele a humo y a magnolias.
Un calor húmedo asciende de la tierra,
y el viento se ha parado.
En la ilusoria paz del parque juegan
niños en español.
Por el río Potomac remeros perezosos
buscan la orilla en sombra de la tarde.

TEXAS, OTOÑO, UN DÍA

I

¡Qué fragor el del sol contra los árboles!
Se agita todo el monte en verde espuma.
El aire es una llama transparente
que enciende y no consume
lo que sus lenguas lúcidas abrazan.
Por la profundidad turbia del cielo,
ánades cruzan en bandadas, hondos:
pétalos de la Rosa de los Vientos
que —¿hacia dónde, hacia dónde?—
los vientos caprichosos arrebatan.
Desde
las zarzas crepitantes de luz y mariposas,
la voz de un dios me exige
que sacrifique aquello que más amo.

II

Pero tú nada temas:
pese a tanta belleza,
el deseo
de hallar la paz en el olvido
no prevalecerá contra tu imagen.

ACOMA, NEW MEXICO, DICIEMBRE, 5:15 P.M.

Con tan inconsistentes materiales

—luz en polvo,
una tela de araña,
las ramas de un arbusto,
espacio, soledad, pájaros, viento—

ante mis ojos
levantó la tarde
un monumento de belleza
que parecía inextinguible:

inmensos pabellones de silencio,
galerías abiertas a altísimos abismos,
columnas de reflejos deslumbrantes,
lienzos tersos, ingrávidos,
de metal transparente como vidrio.

Mas todo aquello
                    —estatua o fortaleza—,
después de haberse erguido,
abrió dos grandes alas de misterio,
y se perdió en un vuelo negro y rápido.

De su presencia lúcida
sólo nos queda ahora
un desolado pedestal vacío
de sombra, y frío, y noche, y desamparo.

140

CHILOÉ, SETIEMBRE, 1972
(Un año después, en el recuerdo)

Estuve en Chiloé junto a la primavera.
(Sería otoño en España.)

Humedad olorosa,
praderas solitarias.

Recuperé de pronto tiempo y tierra.
(Tiempo perdido, tierra derrotada.)

El mar mordía los acantilados
con sus dientes de espuma verde y blanca.

Veía el Norte en el Sur.

¡Espejismo de rostros y de muros
iluminados con palabras
puras: *libertad, compañeros!*

(Y en el fondo, con nieve, las montañas.)

¿De dónde regresaba todo aquello?

Surgidos de la bruma
—¿era ayer o mañana?—
albatros quietos, levitando arriba,
serenaban el aire con sus extensas alas.

Todo encalló en un tiempo amargo y sucio.
Ahora,
asomando sobre las aguas,
la arboladura rota de esos días
tan sólo exhibe buitres en sus jarcias.

ILUSOS LOS ULISES

Siempre, después de un viaje,
una mirada terca se aferra a lo que busca,
y es un hueco sombrío, una luz pavorosa,
tan sólo lo que tocan los ojos del que vuelve.

Fidelidad, afán inútil.
¿Quién tuvo la arrogancia de intentarte?
Nadie ha sido capaz
—ni aun los que han muerto—
de destejer la trama
de los días.

PROSEMAS O MENOS
(1985)

NO TUVO AYER SU DÍA

Ya desde muy temprano,
ayer fue tarde.

Amaneció el crepúsculo, y al alba
el cielo derramó sobre la tierra
un gran haz de penumbra.

Cerca del mediodía
un firmamento tenue e incompleto
—¿cifra de nuestra suerte?—
brillaba todavía en el espacio.
                              (La luna
no iluminaba al mundo;
su cuerpo transparente
nos permitía tan sólo adivinar
la existencia más alta de otro cielo
inclemente también, inapelable.)

Seguimos esperando, sin embargo.

Imprecisas señales
—un latido de pájaros, a veces;
el eco de un relámpago;
súbitas rachas de violento viento—
nos mantenían alerta.

A la hora del ocaso
salió un momento el sol para ponerse
y confirmó las sombras con ceniza.

IGUAL QUE SI NUNCA

¿Es algo más que el día lo que muere esta tarde?
El viento
            ¿qué se lleva,
qué aromas arrebata?
Desatadas de golpe, las hojas de los árboles
ciegas van por el cielo.
Pájaros altos cruzan, se adelantan
a la luz que los guía.
                        Sombría claridad
será ya en otra parte
—por un instante sólo—
madrugada.

Con banderas de humo alguien me advierte:

—Míralo todo bien;
eso que pasa
no volverá jamás
y es ya igual que si nunca hubiese sido

efímera materia de tu vida.

EL DÍA SE HA IDO

Ahora andará por otras tierras,
llevando lejos luces y esperanzas,
aventando bandadas de pájaros remotos,
y rumores, y voces, y campanas,
—ruidoso perro que menea la cola
y ladra ante las puertas entornadas.

(Entretanto, la noche, como un gato
sigiloso, entró por la ventana,
vio unos restos de luz pálida y fría,
y se bebió la última taza.)

Sí;
      definitivamente el día se ha ido.
Mucho no se llevó (no trajo nada);
sólo un poco de tiempo entre los dientes,
un menguado rebaño de luces fatigadas.
Tampoco lo lloréis. Puntual e inquieto
sin duda alguna, volverá mañana.
Ahuyentará a ese gato negro.
Ladrará hasta sacarme de la cama.

Pero no será igual. Será otro día.

Será otro perro de la misma raza.

ASÍ FUERON

La mañana
              —ese tigre
de papel de periódico—
ruge entre mis manos.

Ambigua e indecisa,
exhibiendo las fauces irascibles
en un largo bostezo,
se levanta:

va a abrevar en los ríos,
a teñirlos de rojo con sus barbas sangrientas.
Luego se precipita sobre el valle.

Las tres en punto ya;
parece que la luz, zarpa retráctil,
abandona su presa.

Pero eso,
              ¿quién lo sabe?

Agazapado
como una loba,
el crepúsculo espera
a que salga la luna
para aullar largamente.

Así fueron los días que recuerdo.

Los otros,
los que olvido
—¡tengo ya tantos años!—
huyeron como corzas malheridas.

CREPÚSCULO, ALBUQUERQUE, ESTÍO

¡Sol sostenido en el poniente, alta
polifonía de la luz!

Desde el otro confín del horizonte,
la montaña coral
—madera y viento—
responde con un denso acorde cárdeno
a la larga cadencia de la tarde.

El llamado crepúsculo
¿no es el rubor —efímero— del día
que se siente culpable
por todo lo que fue
—y lo que no ha sido?

Ese día fugaz
que, igual que un delincuente,
aprovecha las sombras para irse.

ROSA DE ESCÁNDALO
(Albuquerque, noviembre)

Súbita, inesperada, espesa nieve
ciega el último oro
de los bosques.
Un orden nuevo y frío
sucede a la opulencia del otoño.
Troncos indiferentes.
Silencio dilatado en muertos ecos.
Sólo los cuervos
protestan en voz alta,
descienden a los valles
y —airados e insolentes—
ocupan los jardines
con su negro equipaje de plumas y graznidos.
Inquietantes, incómodos, severos,
desde sus altos púlpitos marchitos
increpan a la tarde de noviembre
que exhibe todavía
entre sus galas secas
la belleza impasible de una rosa.

EL CRISTO DE VELÁZQUEZ

A Luis Ríus

Banderillero desganado.
Las guedejas del sueño cubren tu ojo derecho.
Te quedaste dormido con los brazos alzados,
y un derrote de Dios te ha atravesado el pecho.

Un piadoso pincel lavó con leves
algodones de luz tu carne herida,
y otra vez la apariencia de la vida
a florecer sobre tu piel se atreve.

No burlaste a la muerte. No pudiste.
El cuerno y el pincel, confabulados,
dejaron tu derrota confirmada.

Fue una aventura absurda, bella y triste,
que aún estremece a los aficionados:
¡qué cornada, Dios mío, qué cornada!

PALABRAS DEL ANTICRISTO

Yo soy
la mentira y la muerte
(es decir, la verdad última
del hombre).

Sé que no hay esperanza,
pero te dije:
            espera,
con el único fin
de envenenar la vida
con la letal ponzoña de los sueños.

No hubo resurrección.

Una gran piedra
selló mi tumba,
            en la que sólo había
silencio y sombra.
Nada hallaron en ella, salvo sombra y silencio.

Yo soy el que no fue
ni será nunca:

en la oquedad vacía,
la turbia resonancia de tu miedo.

DIATRIBA CONTRA LOS MUERTOS

Los muertos son egoístas:
hacen llorar y no les importa,
se quedan quietos en los lugares más inconvenientes,
se resisten a andar, hay que llevarlos
a cuestas a la tumba
como si fuesen niños, qué pesados.
Inusitadamente rígidos, sus rostros
nos acusan de algo, o nos advierten;
son la mala conciencia, el mal ejemplo,
lo peor de nuestra vida son ellos siempre, siempre.
Lo malo que tienen los muertos
es que no hay forma de matarlos.
Su constante tarea destructiva
es por esa razón incalculable.
Insensibles, distantes, tercos, fríos,
con su insolencia y su silencio
no se dan cuenta de lo que deshacen.

HAY TRES MOMENTOS GRAVES,
MÁS EL CUARTO

Hay tres momentos graves en la vida de un hombre,
a saber:
cuando nace,
y cuando pierde el uso de sus seres queridos.

Luego transcurre el tiempo,
y el olvido acontece,
y ya como si nada,
como si casi nada,
nos sentimos vivir en un lugar extraño.

El cuarto es conocido;
lo que pasa es que apenas tiene muebles.

HIPÓTESIS ABSURDA, POR FORTUNA

Si después de estar muerto muchos años
le fuera dado al hombre el privilegio
de volver a la vida
sólo por una hora,

acaso viese el mundo tan hermoso
como jamás lo había imaginado,
y tal vez deseara
seguir cn él aunque tan sólo fuese
unos instantes más
para saciar sus asombrados ojos
con toda la belleza de la tierra
—el mar, o las montañas,
la luz llenando el aire puro y quieto
de un día de verano...

Pero si le pidiesen
(y tuviese memoria):

quédate aquí por siempre,

¿qué diría?

Pétalo a pétalo, memorizó la rosa.

Pensó tanto en la rosa,
la aspiró tantas veces en su ensueño,
que cuando vio una rosa
verdadera
le dijo
desdeñoso,
volviéndole la espalda:

—mentirosa.

J.R.J.

Debajo del poema
—laborioso mecánico—,
apretaba las tuercas a un epíteto.
Luego engrasó un adverbio,
dejó la rima a punto,
afinó el ritmo
y pintó de amarillo el artefacto.
Al fin lo puso en marcha, y funcionaba.

—*No lo toques ya más,*
               se dijo.
                    Pero
no pudo remediarlo:

volvió a empezar,
rompió los octosílabos,
los juntó todos,
cambio por sinestesias las metáforas,
aceleró...
             mas nada sucedía.
Soltó un tropo,
               dejó todas las piezas
en una lata malva,
y se marchó,
cansado de su nombre.

ERUDITOS EN CAMPUS

Son los que son.

Apacibles, pacientes, divagando
en pequeños rebaños
por el recinto ajardinado,
                              vedlos.
O mejor, escuchadlos:

mugen difusa ciencia,
comen hojas de Plinio
y de lechuga,
devoran hamburguesas,
textos griegos,
diminutos textículos en sánscrito,
                              y luego
fertilizan la tierra
con clásicos detritus:
                    alma mater.

Si eructan,
un erudito dictum
perfuma el campus de sabiduría.

Si, silentes, meditan,
raudos, indescifrables silogismos,
iluminando un universo puro,
recorren sus neuronas fatigadas.

Buscan
—la mirada perdida en el futuro—
respuesta a los enigmas
eternos:

¿Qué salario tendré dentro de un año?
¿Es jueves hoy?
              ¿Cuánto
tardará en derretirse tanta nieve?

DOS HOMENAJES A BLAS DE OTERO

I

Resuena en tus palabras
un difuso clamor de verdades oscuras,
cuando me las encuentro.
                              Rompen
en mi memoria, siempre
sonoras, firmes, claras,
como las olas de un mar poderoso
que sumerge y levanta,
sin devolver ni arrebatar nunca del todo,
una realidad turbia y mutilada:
el tiempo, el tiempo ido.
                              A su conjuro,
entre gotas de sal y luz de agua,
con el tiempo
yo mismo,
restos recuperados de mí mismo
vuelven y configuran un fantasma
que dibuja en el aire el viejo gesto
—casi olvidado ya— de la esperanza.

No todo se ha perdido;
                              vienen
a mi memoria siempre tus palabras
—claras, firmes, sonoras—
trayéndola, llevándola.

II

Una voz era paz, o luz, o acaso
era fuego esa voz; todavía llama.
O era viento tal vez: ved la alta rama
del olmo aún temblorosa tras su paso.

Era roja esa voz en el ocaso;
cuando la noche sus horrores trama,
vuelve su resplandor: sangre que clama
al cielo ese de los hombres, raso.

Impaciente de paz, y luminosa,
ardiente, airada, entera y verdadera,
era dura esa voz: todavía dura

airosa y alta, como si tal cosa
—alzarse en estos tiempos— nada fuera.
Admirad, ya hecha estatua, su estatura.

CANCIÓN, GLOSA Y CUESTIONES

Ese lugar que tienes,
cielito lindo,
entre las piernas,
ese lugar tan íntimo
y querido,
es un lugar común.

Por lo citado y por lo concurrido.

Al fin, nada me importa:
me gusta en cualquier caso.

Pero hay algo que intriga.

¿Cómo
solar tan diminuto
puede ser compartido
por una población tan numerosa?

¿Qué estatutos regulan el prodigio?

CARTA

Amor mío:
          el tiempo turbulento pasó por mi corazón
igual que, durante una tormenta, un río pasa bajo un
     puente:
rumoroso, incesante, lleva lejos
hojas y peces muertos,
fragmentos desteñidos del paisaje,
agonizantes restos de la vida.

Ahora,
todo ya aguas abajo
—luz distinta y silencio—,
quedan sólo los ecos de aquel fragor distante,
un aroma impreciso a cortezas podridas,
y tu imagen entera, inconmovible,
tercamente aferrada
—como la rama grande
que el viento desgajó de un viejo tronco—
a la borrosa orilla de mi vida.

ASÍ PARECE

Acusado por los críticos literarios de realista,
mis parientes en cambio me atribuyen
el defecto contrario;
                          afirman que no tengo
sentido alguno de la realidad.
Soy para ellos, sin duda, un funesto espectáculo:
analistas de textos, parientes de provincias,
he defraudado a todos, por lo visto;
¡qué le vamos a hacer!

Citaré algunos casos:

Ciertas tías devotas no pueden contenerse,
y lloran al mirarme.
Otras mucho más tímidas me hacen arroz con leche,
como cuando era niño,
y sonríen contritas, y me dicen:
                          qué alto,
si te viese tu padre...,
y se quedan suspensas, sin saber qué añadir.

Sin embargo, no ignoro
que sus ambiguos gestos
disimulan
una sincera compasión irremediable
que brilla húmedamente en sus miradas
y en sus piadosos dientes postizos de conejo.

Y no sólo son ellas.

En las noches,
mi anciana tía Clotilde regresa de la tumba
para agitar ante mi rostro sus manos sarmentosas
y repetir con tono admonitorio:
¡Con la belleza no se come! ¿Qué piensas que es la vida?

Por su parte,
mi madre ya difunta, con voz delgada y triste,
augura un lamentable final de mi existencia:
manicomios, asilos, calvicie, blenorragia.

Yo no sé qué decirles, y ellas
vuelven a su silencio.
Lo mismo, igual que entonces.
Como cuando era niño.
                              Parece
que no ha pasado la muerte por nosotros.

ARTRITIS METAFÍSICA

Siempre alguna mujer me llevó de la nariz
(para no hacer mención de otros apéndices).

Anillado
como un mono doméstico,
salté de cama en cama.

¡Cuánta zalema alegre,
qué equilibrios tan altos y difíciles,
qué acrobacias tan ágiles,
qué risa!

Aunque era un espectáculo hilarante,
hubo quien se dolió de mis piruetas,
lo cual no es nada extraño:
en semejante trance
yo mismo
me rompí el alma en más de una ocasión.

Es una pena que esos golpes
que, entregados al júbilo del vuelo,
entonces casi no sentimos,
algunas tardes ahora,
en el otoño,
cuando amenaza lluvia
y viene el frío,
nos vuelvan a doler tanto en el alma;

renovado dolor que no permite
reconciliar el sueño interrumpido.

En esas condiciones no hay alivio posible:
ni el bálsamo falaz de la nostalgia,
ni el más firme consuelo del olvido.

EL CONFORMISTA

Cuando era joven quería vivir en una ciudad grande.

Cuando perdí la juventud quería vivir en una ciudad pequeña.

Ahora quiero vivir.

DEIXIS EN FANTASMA
(1992)

FUGACIDAD DE LO VIVO

Ante los ojos de los muertos
abiertos sólo para la eternidad,
el topo,
horadando su túnel tercamente,
pasó ágil y veloz como una golondrina.

CANCIÓN TRISTE DE AMIGO

Si nuestro reino no fue de este mundo,
y sabemos de cierto que no hay otro,
dime lo que nos queda,
amigo,
dime lo que nos queda.

Ni siquiera deseos, ni siquiera esperanza;
un confuso montón de sueños negros,
eso es lo que nos queda,
amigo,
un confuso montón sólo de sueños.

Cada vez más pequeño.
Ya cabe en un pañuelo, igual que el llanto.
Pero cómo nos pesa,
amigo,
pero cómo nos pesa.

Más cuanto menos.

RECUERDO Y HOMENAJE
EN UN ANIVERSARIO

La brisa del mar próximo
abrió un espacio de luz en el invierno.

Regresaban a ti,
en la hora más triste,
como el milagro de otra primavera
que nunca llegaría,
esos días azules y ese sol de la infancia.

Qué habrán iluminado en tu hondo sentimiento,
qué imágenes de patios olorosos a azahar,
qué perfume a jazmín traerían a tu ensueño
entre un rumor de fuentes
esos días azules...

¿Ensueño todavía, o tan sólo memoria?

No; allá en el fondo de la mar no sueñan
los frutos de oro:
sólo estéril arena, piedras negras,
anémonas amargas, sin aroma.

(*Mañana es nunca ya,* tal vez pensabas.)

Y sin embargo,
piadosa luz,

y muerte más piadosa que la vida,
que detuvo en los lienzos del recuerdo
contigo hacia la sombra,
tan lejanos y claros,
tan imposibles ya,
pero contigo, en ti al fin para siempre

—mañana es nunca, nunca, nunca—

esos días azules y ese sol de la infancia.

TAL VEZ MEJOR ASÍ

Recuerda aún los adverbios temporales:

ahora, nunca, luego,
todavía, ya no...

Y repite, obstinado, alguno de ellos:
antes, después...

Solamente un olvido le atormenta:

después, antes... ¿de qué?

QUÉDATE QUIETO

Deja para mañana
lo que podrías haber hecho hoy
(y comenzaste ayer sin saber cómo).

Y que mañana sea mañana siempre;

que la pereza deje inacabado
lo destinado a ser perecedero;
que no intervenga el tiempo,
que no tenga materia en que ensañarse.

Evita que mañana te deshaga
todo lo que tú mismo
pudiste no haber hecho ayer.

AUTORRETRATO
DE LOS SESENTA AÑOS

Si yo tuviese veinte años menos de los que tengo ahora,
sería aquel que en 1965 se decía:

si yo tuviese veinte años menos de los que tengo ahora,
sería aquel que en 1945 se decía:

si yo tuviese veinte años más de los que tengo ahora...

SOL YA AUSENTE

Todavía un instante, mientras todo se apaga,
la piedra que recoge lo que el cielo desdeña,
esa mancha de luz
para cuando no quede,
un poco de calor
para cuando la noche...

Todavía un instante, mientras todo se pierde,
la memoria que guarda la belleza de un rostro,
esos ojos lejanos que derraman
su claridad aquí, tan dulce y leve,
este amor obstinado
para cuando el olvido...

Pero el olvido nunca:

un instante final que se transforma en siempre,
la luz sobre la piedra,
la mirada
que dora tenuemente todavía
—después de haber mirado—
la penumbra de un sueño...

YA NADA AHORA

Largo es el arte; la vida en cambio corta
como un cuchillo.
                    Pero nada ya ahora

—ni siquiera la muerte, por su parte
inmensa—

podrá evitarlo:
                    exento, libre,

como la niebla que al romper el día
los hondos valles del invierno exhalan,

creciente en un espacio sin fronteras,

este amor ya sin mí te amará siempre.

POEMAS INÉDITOS

I
OTOÑOS Y OTRAS LUCES

El otoño se acerca con muy poco ruido:
apagadas cigarras, unos grillos apenas,
defienden el reducto
de un verano obstinado en perpetuarse,
cuya suntuosa cola aún brilla hacia el oeste.
Se diría que aquí no pasa nada,
pero un silencio súbito ilumina el prodigio:
ha pasado
un ángel
que se llamaba luz, o fuego, o vida.
Y lo perdimos para siempre.

Todo el mundo era pobre en aquel tiempo,
todos entretejían
sin saberlo
—a veces sonreían—
los hilos de tristeza
que formaban la trama de la vida
(inconsistente tela, pero
qué estambre terco, la esperanza).
Unas hebras
de amor doraban
un extremo de aquel tapiz sombrío
en el que yo era un niño que corría
no sé de qué o hacia dónde,
tal vez hacia el espacio luminoso
que urdían incansables
las obstinadas manos amorosas.

Nunca llegué a esa luz.

Cuando iba a alcanzarla,
el tiempo, más veloz,
ya la había recubierto con su pátina.

¿Con qué lo redimimos,
aquel tiempo sombrío?
¿Con qué pagamos la alegría de ahora,
el envoltorio de bisutería
que ocupa hoy el lugar
del amor verdadero, del más puro
amor forjado
en el dolor y la desesperanza?
¿Qué entregamos
como compensación de tan desigual trueque?
Las más sucias monedas: la traición, el olvido.

Quién es el que está aquí, y dónde:
¿dentro o fuera?

¿Soy yo el que siente y el que da sentido
al mundo?
¿O es el secreto corazón del mundo
—remoto, inaccesible—
el que me da sentido a mí?

Qué lejos siempre entonces ya de todo,
incluso de mí mismo;
qué solo y qué perdido yo,
aquí o allí.

II
VERSOS AMEBEOS

1. ACASO UN NOMBRE PUEDA MODIFICAR UN CUERPO

Si te llamaras Elvira,
tu vientre sería aún más terso y con más nácar.
Pero tan sólo el nombre de Mercedes
depositado por mis labios en tu cintura
condensaría la forma de esa espuma indecisa
que recorre tu espalda cuando duermes de bruces.
Respóndeme cuando te diga: Olga,
y verás que en tus pechos un rubor palidece.
El nombre de María te volvería traslúcida.
Guarda silencio si te llamara por un nombre
que no pronuncio nunca,
porque si entonces respondieses
tus ojos —y los míos— se anegarían en llanto.
Una prueba final;
                    cuando sonríes
te pienso Irene,
y la sonrisa tuya es más que tu sonrisa:
amanece sin sombras la alegría del mundo.
¿Y si te llamo como tú te llamas…?
                                        Entonces
descubriría una verdad:
en el principio no era el verbo.
El nácar y la espuma,
la palidez rosada,
la transparencia, el llanto, la alegría:
todo estaba ya en ti.

Los nombres que te invento no te crean.
Sólo
    —a veces
son como luz los nombres...—
                        te iluminan.

2. A VECES, UN CUERPO PUEDE MODIFICAR UN NOMBRE

A veces, las palabras se posan sobre las cosas como una mariposa sobre una flor, y las recubren de colores nuevos.

Sin embargo, cuando pienso tu nombre, eres tú quien le da a la palabra color, aroma, vida.

¿Qué sería tu nombre sin ti?

Igual que la palabra rosa sin la rosa:
un ruido incomprensible, torpe, hueco.

1.

Sé que llegará el día en que ya nunca
volveré a contemplar
tu mirada curiosa y asombrada.
Tan sólo en tus pupilas
compruebo todavía,
sorprendido,
la belleza del mundo
—y allí, en su centro, tú,
iluminándolo.

Por eso, ahora,
cuando aún es posible,
mírame mirarte;
mete todo tu asombro
en mi mirada,
déjame verte mientras tú me miras
también a mí,
asombrado
de ver por ti y a ti, asombrosa.

2.

Quise mirar el mundo con tus ojos
ilusionados, nuevos,
verdes en su fondo
como la primavera.
Entré en tu cuerpo lleno de esperanza
para admirar tanto prodigio desde
el claro mirador de tus pupilas.
Y fuiste tú la que acabaste viendo
el fracaso del mundo con las mías.

III
FRAGMENTOS

Del fragmento deduzco la grandeza.
De la totalidad, la pequeñez...

La distancia más corta entre dos puntos:
la que media entre el tigre y la gacela.

Sed en Castilla.
¡Nuestro gozo en un pozo!

Triste gracia.
Se murió de risa.

Cayó la noche.
Se hizo trizas de luz el firmamento.

Marzo es el mes más cruel.
La primavera apunta.
                              ¡Fuego!
¿Sangre en la tierra?
¡Rosas! ¡Rosas rojas!

Sin pies, pero con cabeza.

Si fueran
descabelladas fantasías
¿cómo iban a peinarse
con sus peines de nácar
las sirenas?

Tan lejos, hoy, de aquello,
pervive sin embargo tanto entonces aquí,
que ahora me parece que no fue ayer
un sueño.

EL LUGAR DE LA PREGUNTA

En contra de lo que suele decirse
la pregunta debe estar detrás de la respuesta.
Porque la pregunta sólo tiene sentido
en contra de lo que suele decirse.

* * *

No interrogues dos veces a quien guarda silencio,
porque el silencio es la única respuesta.

* * *

Pero no es cierto;
hay algunas respuestas verdaderas:
nunca, nada, jamás, tampoco, no, mentira.

* * *

¿Niega y acertarás?
Mentira, no, jamás, tampoco, nunca.

Un tonto habla de un tonto
(ambos ilustres).
Se jalea el discurso.
Cientos, miles de tontos,
lo escuchan asombrados, reverentes.
Creen que son tontos
porque no entienden nada.
(Lo son por otras causas;
ahí no hay nada que entender)
y disimulan:
¡Qué hermoso es el vestido
de nuestro emperador!,
dicen ufanos.
Y nuestro emperador los saludaba
con la misma ufanía,
adiposo y lampiño,
orondo, circunciso, varicoso.

Al lector se le llenaron de pronto los ojos de lágrimas,
y una voz cariñosa le susurró al oído:
—¿Por qué lloras, si todo
en ese libro es de mentira?
Y él respondió:
                    —Lo sé;
pero lo que yo siento es de verdad.

IV
OTRAS LUCES

Luna de abajo,
en el fondo del pozo,
blanca en los charcos de la bocamina,
inmóvil
en las aguas del río
que no pueden llevarla
—a ella, tan ligera—
en su corriente.
                    Luna
que no refleja al sol,
sino a sí misma
igual que un sueño que engendrase un sueño.
Luna de abajo,
luna por los suelos,
para los transeúntes de la noche,
que vuelven a sus casas cabizbajos.

Luna entre el barro, entre los juncos, entre
las barcas que dormitan en los puertos; luna
que es a la vez mil lunas y ninguna,
evanescente, mentirosa luna,
tan próxima a nosotros, y no obstante
aún más inalcanzable que la otra.

DOS VECES LA MISMA MELODÍA

Absuelto por la música,
emerjo del Jordán del contrapunto
limpio de pasado:
nada que recordar.
Todo ante mí, como ante Dios, presente.
Ahora
esa fuga
de lo que se deslíe
en la pura corriente de la vida,
es imposible ya:
                    la refrena
—y tú no lo creías—
con firmeza un violín,
y todo permanece
no en la memoria de un ayer ya muerto,
sino en su terco, reiterado curso.
Tranquilo, corazón; en tus dominios
—así como los oyes—,
lo que fue sigue siendo y será siempre.

Alba en Cazorla

Canta un gallo, mil gallos.
                            Amanece.
Luz tan cacareada
pocas veces se ha visto.
¿Qué traerá este día así anunciado
con clarines más vivos que sus llamas?

                                    (Pero
no hay fuego todavía, sólo
un atisbo de luz
en un abismo alto y transparente
que se opone a otro abismo).

En el lugar del firmamento, nada.
Como un rubor azul renace el cielo.

(Y abajo, allá en lo hondo,
débil niebla de lana empaña el valle:
rebaños y balidos resbalan por las sendas
como movidos por un viento inquieto
que los dispersa por los olivares).

Enigmática luz, tan clara y pura
que tan sólo se ve en lo que desvela.
¿De dónde viene ese esplendor creciente?
No es aún la luz la que ilumina al mundo;
el mundo iluminado es quien la enciende.

¡Volver a ver el mundo como nunca
había sido...!

En los últimos días del verano,
el tiempo detenido en la gran pausa
que colmaría setiembre con sus frutos,
demorándose en oro
octubre,
         y el viento de noviembre que llevaba
la luz atesorada por las hojas
muertas hacia más luz,
                    arriba,
                          hacia
la transparencia pálida de un cielo
de hielo o de cristal
cuando diciembre
y la luna de enero
hacían palidecer a las estrellas:
altas constelaciones ordenando
la vida de los hombres,
el misterio tan claro,
la esperanza aún más cierta...

Aquella luz que iluminaba todo
lo que en nuestro deseo se encendía
¿no volverá a brillar?

V
PAPEL VIEJO

CAMPO DE CONCENTRACIÓN
(Burgos, 1938)

Parece que, efectivamente
lo peor era el frío
en aquellas tierras altas del norte,
áridas y sombrías,
donde la primavera empieza en junio.
Al menos, eso opinó después Francisco,
que también se quejaba del hambre.
«Comíamos» —decía—
«serrín mojado en agua,
cuero reblandecido,
todo lo masticable lo comíamos,
el hambre es mal asunto...»
                            Y sonreía.
Hablaba poco de eso.
La historia de su ex-ojo izquierdo
no pudo silenciarla
porque era demasiado evidente
aquella cuenca roja y deformada
como una cicatriz todavía abierta
llorando por su cuenta todo el día.
De sus palabras dedujimos
—fue un relato confuso,
hablaba como avergonzado, ansioso
de sonreír de nuevo—
que un guardián derribó de un puñetazo
al tal Francisco, y luego

intentó golpearle
con la culata del fusil,
pero le dio a una piedra
y de rebote le vació el ojo.
«Esas cosas pasaban diariamente».

                        Y sonreía
—aunque la cuenca proseguía su llanto—,
disculpándose a él, al guardia, a todos.

Cumplidos siete años de condena,
de vuelta en su ciudad,
recuperó su empleo de auxiliar en la banca,
y hablaba poco o nada del pasado.
Le entusiasmaba el fútbol
y de eso sí charlaba a cualquier hora.
Incluso iba al estadio los domingos
—«como en tiempos normales», comentaba
frotándose las manos—
a animar a su equipo,
que entonces militaba
en la Segunda División de Liga.

Encontró una pensión
barata. Su cuñada,
la viuda de su hermano,
le lavaba la ropa
y lo invitaba a merendar algunas tardes
—según las malas lenguas,
lo invitaba a algo más que a chocolate.

Heredó de su hermano,
además de esos pálidos rescoldos
de un imposible hogar,

dos o tres trajes en buen uso,
unas gafas ahumadas,
un mechero,
y el reloj de pulsera (lo que más estimaba).
A veces bebía vino con amigos
de antes de la guerra.
En esas ocasiones
mostraba un optimismo desusado,
canturreaba incluso antiguas habaneras.
(En cambio,
aquella especie de cicatriz roja,
estimulada por el vino,
derramaba más lágrimas que nunca).
Si miraba el reloj,
una inconsciente asociación de ideas
lo ponía melancólico;
se cambiaba la lágrima de ojo,
suspiraba y decía:
«Mi pobre hermano»
—había muerto de un tiro en un combate—
«no tuvo tanta suerte como yo».

Nunca supe en el fondo si hablaba de verdad
o quería simplemente consolarse a sí mismo.

GAJES DEL OFICIO

Era un hombre que, por su profesión,
cuando cometía errores eran siempre de bulto.
Me estoy refiriendo a un maletero
                          —o *porteur,* eso depende
de la situación del sujeto respecto a la cordillera pirenaica—
quien, atendiendo por uno u otro nombre,
acababa deslomado cada día
de tanto descargar y cargar trenes.

Yo también cometo errores de bulto:
voy a abrazar tu cuerpo y me abraso en el aire,
voy a pedir tequila y pronuncio te quiero,
voy a aspirar la brisa y estás en mi garganta.
Así, acabo descorazonado cada noche
de tanto acarrear mi amor por todas partes:
un amor que no sé dónde dejar
cuando llega la tarde y tú no estás conmigo.

Cómo se puede ser hombre sin tener hambre.
Cómo se puede ser sencillo sin ser simple.
Imposible ser perro sin morder.
Imposible morder sin ser un perro.

Eso es lo que llaman el orden de la vida,
aunque yo pienso que la vida no es compatible con el orden.
Los seres ordenados viven, mas tan despacio
que se mueren del susto cuando llega la muerte.
(Claro que en días así muere cualquiera).

Porque es lo que yo no decía al principio:
cómo se puede
ser hombre y tener hambre en estos tiempos,
cuando se importan frutas tropicales,
y en los escaparates hay rótulos que rezan:
caracoles picantes, diostesalvemaría.

ÍNDICE